I po cholerę mi to było!

Marta Osa

I po cholerę mi to było!

ZYSK I S-KA
WYDAWNICTWO

Redaktor prowadzący
Katarzyna Lajborek-Jarysz

Redaktor
Witold Kowalczyk

Projekt okładki i stron tytułowych
Joanna Dąbrowska

Skład i łamanie
Witold Kowalczyk

Wydanie I

ISBN 978-83-7506-985-3

Zysk i S-ka Wydawnictwo
ul. Wielka 10, 61-774 Poznań
tel. 61 853 27 51, 61 853 27 67, faks 61 852 63 26
dział handlowy, tel./faks 61 855 06 90
sklep@zysk.com.pl
www.zysk.com.pl

I po cholerę mi to było? — pomyślała wściekła na siebie. Siadła na najwyższym stopniu krętych metalowych schodów, które prowadziły już nawet nie wiadomo dokąd. W dole plątanina niegdyś ukochanych roślin straszyła zielonymi mackami. I pomyśleć, że kiedyś spędzała w tym zakątku całe godziny. Nic nie miało prawa rosnąć bez pozwolenia, a jeśli już się odważyło, to tylko w z góry upatrzoną stronę. Każda niesubordynacja skutkowała użyciem taśmy klejącej. Pędy winobluszczu rozciągnięte na ścianie i przyklejone taśmą wyglądały dziwnie, ale przynajmniej był porządek. Żadnej samowoli! Maleńki ogród za segmentem domu szeregowego był azylem. Zawsze miała tam coś do roboty. A to róże już się osypywały, a to trawnik wielkości wycieraczki wymagał skoszenia. Szkoda było wyciągać kosiarkę, nożyczkami pewnie poszłoby szybciej, no ale cały ten rytuał... O każdej porze sezonu wegetacyjnego (nie mylić z porą roku) było co włożyć do wazonu. Choćby nawet ten nieszczęsny winobluszcz, rzecz jasna, tylko ten niezdyscyplinowany, i kilka margerytek. Wystarczyło. Artystyczna dusza Olki nie znosiła pustych wazonów. Kolory zaś ją uspakajały. A tu co? Sama zieleń, miejscami przechodząca w brzydką, wysuszoną żółć, co tam żółć... w paskudny brąz. Drewniany, zdezelowany płot, uginający się pod ciężarem pędów winobluszczu, który w nosie ma jakiekolwiek zasady. Wisi ciężki na ledwo już zipiących trejażach i demoluje jej ukochany zakątek. Niektóre elementy płotu podparła słupkami, bo część drewnianej architektury ogrodu już niestety poległa. Słupy mogła wykorzystać do reanimacji reszty ogrodzenia. Obraz nędzy i rozpaczy.

Nie zejdę tam. Jeszcze coś mnie pożre! — Uśmiechnęła się do własnych myśli i powlokła do kuchni po kubek kawy. Nie ma to jak pomyśleć przy kawie... albo raczej nie ma to jak nie myśleć przy kawie.

Olka, lat... no cóż, prawie pięćdziesiąt (czterdzieści osiem brzmi zdecydowanie lepiej), ale nie wygląda na więcej niż czterdzieści z małym tylko okładem. Długie do ramion, upięte na karku włosy w kolorze futerka polnej myszy i opadająca niesfornie grzywka, zdmuchiwana z czoła raz po raz, sprawiają, że nikt nie ma wątpliwości, jak kruche jest wnętrze tej kobiety. Ale pozory mylą. Olka zawsze była energiczna, odważna i rozgadana. Mile widziana w każdym towarzystwie, bo sama jej obecność działa na innych odprężająco. Przynajmniej kiedyś działała. Teraz jest znerwicowaną nauczycielką sztuki w miejskim gimnazjum. Już sam zawód określa jej obecny stan. No i ta cholerna sprawa z katechetą.

— Święty za dychę! — zaklęła pod nosem. — Jak można być tak do szpiku złym? Ano, okazuje się, że można. Już nawet Max nie potrafił jej rozbawić.

— Olka, słuchaj. — Nalewał jej drinka, bo wiedział, co ją natychmiast uspokoi. — Pewien proboszcz zachwycił się kazaniem swojego wikarego, który w znakomity sposób potrafił skupić uwagę wiernych, bo pewnego razu odważył się na wyznanie:

„Moi mili... kocham kobietę". Po kościele rozszedł się szmer, co bardziej senni się przebudzili, a on kończy: „To moja matka". No i wiesz, proboszcz, którego już nikt nie słuchał, zaczął podobnie. „Drodzy parafianie, kocham kobietę...". Cisza w kościele... „To matka wikarego". — Max zaśmiał się głośno. — No, co? Czemu się nie śmiejesz?

— Max, mama ciągle powtarzała moim braciom, że nie można bić nikogo, a już na pewno nie kogoś, kto nosi sukienkę. A ja mu nieźle walnęłam — Olka westchnęła, ale jakoś nie była zmartwiona. Spoglądała do wnętrza szklaneczki z metaxą i zamieszała drinka palcem.

— Moja droga, kiecka nie kiecka, za świństwa trzeba lać po pysku. Nawet, jak potem trzeba wziąć urlop dla poratowania zdrowia — potarmosił jej upięty kucyk. — I zrób coś z tym.

Tylko na niego mogła liczyć, kiedy chciała posmęcić. Zwykle to on marudził i biadał nad zafajdanym życiem. Ale role się odwracały, kiedy tylko sama wchodziła w bemolową tonację. Nikt tak jak on nie potrafił dobierać kolorów; kiedy wpadał do niej, chętnie oddałaby mu paletę. Grał kolorami jak nikt inny. Kiedy nie przywiązywała uwagi do swojego stroju, już od progu wrzeszczał: „Na miłość boską, zmień tę bluzkę". I zawsze miał rację. Gej. Wiadomo. A może nie? W każdym razie lekko zniewieściały kumpel. I co z tego? Połączenie utraconego brata z przyjaciółką od serca. Olka go uwielbiała. Przystojny, zadbany, w towarzystwie dowcipny i bardzo pożądany. Tworzyli zgrany duet, toteż czasami wychodzili razem. Max wiecznie poszukiwał drugiej połowy, Olka zresztą też.

— Ola, widzisz tego bruneta przy barze? Raz, dwa, trzy mój! — No masz. Nie zdążyła. I nawet się nie starała. Dwa lata temu uparła się, że nie będzie dłużej samotna i zbuduje prawdziwy związek. Ale to nie były lata zwycięskie. Bo od kiedy to wystarczy tylko chcieć? Facet niby w porządku, niby przystojny, niby zakochany, niby już na zawsze. No właśnie. To wszystko było na niby. Nie mogło być naprawdę, skoro ciągle kochała kogoś innego. O naiwności! Czemu to jest takie zamotane?

Na szczęście potrafiła wpływać na swoje życie. Niby-prawdziwy związek szybko zakończyła i znów cieszyła się wolnością. Raz rozwiedziona, raz zawiedziona i raz zakochana. Tylko, niestety, nieszczęśliwie.

— Wiesz, Max — zaczęła ostrożnie. — Chyba muszę iść do psychiatry.

— Oluś, jakie chyba? On już na ciebie czeka. Gdybyś poszła na czas, może nie pobiłabyś księdza.

— Zaraz tam pobiła. Mówisz, jakbym rozpętała wojnę religijną. Ja mu tylko strzeliłam w pysk.

— No ale dość skutecznie.

— Jak coś robię, to robię. Cholera, ręka wciąż mnie boli. Ale zasłużył.

— Ola, nie sądź, żebyś… — nie skończył.

— Dobra, dobra. Nie bądź taki kaznodzieja — zawsze stawała w obronie słabszych. Ten klecha wyraźnie się Mariolki czepiał. Ktoś musiał jej bronić. — Teraz dyro wie, co jest grane, bo innym się też języki rozwiązały. Ja idę na zasłużony odpoczynek, a Mariolka pewnie już będzie miała spokój.

— Co ty będziesz robiła przez ten rok?

— Jeszcze nie wiem, ale nudzić się nie będę. Znasz mnie.

— Może zacznij od siebie.

— Może zacznę.

Chyba ma rację — pomyślała — wyglądam jak miotła.

*

Ranek zawsze niesie nowe rozwiązania.

Od dziś dbam o siebie — pomyślała, zwlekła się z łóżka, stanęła naprzeciwko otwartego okna i wciągnęła głęboko powietrze. W ubiegłym roku skrupulatnie biegała na zajęcia z tai-chi, teraz chciała przypomnieć sobie cokolwiek. I do głowy przychodził jej tylko klasyczny tekst, który zaleca: „Poczuj się młodo i uśmiechnij wewnętrznie". Toteż się uśmiechnęła.

Jak to szło? O matko kochana, ale mi kości chrupią. Chyba jestem już stara.

Tai-chi, taoistyczna gimnastyka rozluźniająca ciało i umysł, to coś dla Olki. Nie trzeba się męczyć ani pocić, nie trzeba nic mówić, przymyka się oczy i koncentruje na sobie. Aktywna medytacja, która kształtuje ciało i ducha. A to było Olce ostatnio bardzo potrzebne.

Wdech, wydech i siedem powtórzeń. Ćwiczyła wolno, w skupieniu.

No, już czuję, że mi lepiej. Mądrzy ci Chińczycy — pomyślała.

Zajęcia z tai-chi to był doskonały pomysł. Rozbita po porządkowaniu życia dusza domagała się wytchnienia i... znalazła je. Mała grupa dorosłych ludzi, którzy jak Olka potrzebowali ukojenia nerwów, wspierała się na zajęciach i dobrze bawiła. Zaproszona na pierwsze zajęcia przez Baśkę Ola poznała koleżanki i kolegów, których życie znacznie różniło się od tego, do czego była przyzwyczajona. Taki Jarek. Facet fantastycznie zbudowany, ciągle doskonalący sylwetkę na siłowni, zadziwiał ją znajomością zasad zdrowego życia (i, o dziwo, je stosował). Zdrowe odżywianie było jego hobby, a o ziołach i ich zastosowaniu w kuchni wiedział niemal wszystko. Oli bardzo to imponowało, bo do tej pory sama uważała się za znawczynię tematu ziół, przynajmniej w zakresie ich uprawy. W jej zaklętym ogrodzie można było znaleźć absolutnie wszystko. Co prawda zdarzyło się, że melisa pomylona z miętą uśpiła na całe popołudnie jej ukochanego synusia (po co się sam pchał do zrywania?), ale żadnych większych wpadek nie było. No, może jeszcze ta mięta zamiast oregano z mieloną karkówką z grilla. Ale akurat ta pomyłka okazała się fantastycznym pomysłem. Odtąd Olka zawsze się tak myliła.

Kawa na tarasie to codzienny rytuał w dni wolne od pracy. Rankiem koniecznie pita z kubka w różyczki. Jak zwykle najwyższy stopień schodów, poduszka pod pupę (też koniecznie) i chwila refleksji.

I nad czym tu myśleć? Za chwilę deski z zadaszenia tarasu spadną mi na głowę i skończy się dumanie — pomyślała Ola i już wiedziała, czym się zajmie w nadchodzącym wolnym czasie.

*

— Wiesz co, Max? — musiała pochwalić się swoim pomysłem. — Zabieram się do tarasu i ogrodu.

— Co znaczy: zabieram się? — łypnął na nią znad szklaneczki z drinkiem.

— No, planuję remont. Lada moment dach nad tarasem spieprzy mi się na głowę, płot już runął, w ogrodzie chyba mieszka diabeł albo inne złe. Przez ostatnie dwa lata strasznie zapuściłam dom. Muszę coś z tym zrobić.

— Ty nie tylko dom zapuściłaś — z wyrzutem pokiwał głową Max.

— Już mi to mówiłeś, pamiętam — spojrzała na niego groźnie. — Strasznie jesteś pomocny, jak trochę wypijesz. Może rusz się i zrób coś ze swoim obejściem, co? — odpaliła.

— E tam. Ja nie mam duszy artysty i wystarczy mi, że mam gdzie auto postawić. Zresztą, nie mogę odbierać przyjemności Adamowi. On uwielbia rządzić na moim podwórku.

— A tobie to pasuje.

— Jasne, nie będę brata pozbawiał frajdy. — Max mieszkał sam, w domu na całkiem dużej działce, której jednak sam zupełnie nie był w stanie opanować, dlatego rad był weekendowym odwiedzinom brata, bo ten uwielbiał biegać z kosiarką, wężem ogrodowym i grabiami. Za to Max odwdzięczał się grillowanym obiadem, bo akurat w tym był mistrzem. I tak przy grillu i piwie spędzali wolne popołudnia.

Oli nikt nie pomaga. Syn już od paru lat mieszka w Poznaniu, tam studiował i zaczął pracę. Ogród jest na Oli głowie. No oczywiście, kiedy Tytus przyjeżdża na weekendy, robi się mała zadyma w ogrodzie, ale o jakimś ogarnięciu obejścia nie ma mowy. Podczas ostatnich odwiedzin rozłożyli i napełnili wodą basen. Niby nieduży, ale zniknął pod nim trawnik wielkości wycieraczki. I o jakiejkolwiek komunikacji po ogródku można było zapomnieć. Po basenie została żółta, żałosna plama zgniłej trawy.

— Wiesz, Ola, pomysł niezły. Ale jak ty to ogarniesz?

— Jeszcze nie wiem. Dachu sama nie naprawię, ale znam niezłą firmę, która może mi to zrobić. Naprawiali dach domu w ubiegłym roku. No i nawet wstępnie rozmawiałam z nimi o tym nieszczęsnym tarasie. Tylko koszty mnie trochę wystraszyły — powiedziała to niemal na jednym wydechu.

— Masz kasę? — zapytał raczej ze zwykłej troski, bo wiedział, że nawet jeśli Ola nie będzie przy kasie, to od niego i tak nie pożyczy. Miała żelazną zasadę: nie pożyczać forsy od przyjaciół. Nigdy! Za to sama chętnie służyła pomocą... jeśli zdarzyło się, że była przy kasie.

— Nie mam, ale przecież są banki. Pożyczę. — Max zdawał sobie sprawę, że Ola niedawno doszczętnie się spłukała, kupując auto swoich marzeń. Za gotówkę. No i jeszcze Tytus. Mimo że już pracował, lubiła mu podrzucać co nieco. W końcu ma tylko jego, a on ma tylko ją. Całe życie mógł liczyć tylko na Olę. Ona jednak potrafiła zadbać o fundusze. Zawsze coś robiła dodatkowo. Malowała i znajdowała nabywców na swoje przypływy talentu. Teraz może jest to trochę trudniejsze, ale jeszcze da się co nieco dorobić. — Tylko z ogrodem raczej sobie nie poradzę. W ubiegłym roku koleżanka remontowała ogród i kosztowało ją to piętnaście tysięcy. No a ja jeszcze muszę doliczyć jakąś czwórkę na taras.

— Dużo, cholera — zmartwił się.

— Dużo, ale poszukam tańszego wykonawcy. Może nie firmy, bo koszty mnie zeżrą. Ale kogoś znajdę. Tylko chciałabym zrobić to w jak najkrótszym czasie, a nie babrać się z tym pół roku. Nie wiem, jeszcze o tym pomyślę.

Myślenie nie zabrało Oli wiele czasu, bo gdy się do czegoś zapaliła, musiała to mieć natychmiast. Często się zastanawiała, jak to było możliwe, że czekała na Marcina tyle lat. Jednak kiedy się prawdziwie kocha... Pobiła wtedy wszelkie rekordy cierpliwości. Ale wszystko ma swoje granice. I nie żeby nagle przestała go kochać. Nigdy nie przestała, ale tej goryczy było już tyle, że zalała nawet tak głębokie pokłady uczucia. Chciała, żeby był w pobliżu, a kiedy był, potrafiła już tylko dręczyć go i sprawiać mu ból. Za te lata samotne, za te smutne święta, za niespełnione obietnice, za całe zło tego świata. I pewnego razu wyznaczyła ostateczny termin. Za kilka miesięcy miała odebrać Tytusa z lotniska. Poleciał do Nowego Jorku pogapić się na świat. Na lotnisko zawozili go jeszcze razem. Razem, ale jednak ciągle osobno. Miała nadzieję, że gdy syn wróci, zastanie ich razem... w domu. Tytus o niczym bardziej nie marzył. Marcin przez te wszystkie lata był mu i ojcem, i kumplem. Czasami Olka zazdrościła im tej więzi. Rozumieli się bez słów, mieli podobne upodobania, pasje i zwyczaje. Może dlatego, że Marcin uczestniczył w wychowaniu Tytusa i kształtował go na swoje podobieństwo. A może dlatego, że Tyci był skórą zdjętą z Oli, miał jej charakter, a ona doskonale pasowała do Marcina.

Ola do dziś wspomina, jak to próbowali wyciąć małemu numer, a wyszło... no właśnie. Parę kilometrów za miastem jest pewna wieś, która pełni funkcję krajowego bazaru rozmaitości. Można tam kupić mydło i powidło — oczywiście używane — bo mieszkańcy wsi zaczęli przywozić z Niemiec i Holandii używane rzeczy z tak zwanych wystawek. Na początku sprzedawano je za grosze. Można tam było wyszperać cenne antyki, niezły sprzęt AGD i RTV, ale również stare doniczki czy zdekompletowane serwisy. Absolutnie wszystko. Ów bazar rozmaitości ciągnął się przez całą wieś i okolice. Pełne były stodoły, chlewnie, obórki, dostawiano nawet tunele foliowe. I każdy pilnował swojego towaru. Handlował, jak potrafił najlepiej. Niektórzy dorobili się na tym poważnych fortun. Olka znała te rejony, więc najlepiej potrafiła ocenić zmiany. Jako miłośniczka starych mebli i sprzętów z duszą, czasami tam wpadała, odwiedzając przy okazji mieszkającą nieopodal rodzinę.

Pewnego razu pojechała tam z Marcinem w poszukiwaniu okazyjnej lampy. Oczywiście z duszą. Zawsze marzyła o ciężkiej lampie w stylu Tiffany. W którejś stodole znaleźli wreszcie wymarzony towar. Jego właścicielem był pewien pan z rzędem złotych zębów, które prezentował przy każdym uśmiechu, a że często się uśmiechał, lepiej było rozmawiać z nim pod słońce albo w pomieszczeniu. No, chyba że nie zapomniało się o okularach słonecznych. Ola potrzebowała okazu średniej wielkości, ale Marcin zawsze wybierał większe, droższe, okazalsze. I niech tam! Piękna podłogowa lampa w kolorach wrzosu, zieleni, beżu i starego złota okazała się dość droga, jak na kieszeń Oli, ale Marcin bardzo chciał ją dla Olki kupić. I kupił. Tyle że Oli spodobało się jeszcze przepiękne secesyjne lustro. Cóż było robić? Pan złotousty zachęcił ich atrakcyjnymi obniżkami… i lampa z lustrem pojechały do domu. Po drodze ustalili, że wkręcą Tytusa, i ułożyli plan. Lampa miała stanąć przy starym bufecie na lwich łapach, a lustro, które później miało nad nim zawisnąć, zamierzali oprzeć o ścianę. Gdy mały zauważy nowości i o nie spyta, Ola miała opowiedzieć o lustrze, a kiedy Tyci spyta o lampę, Ola powie, że przecież lampa stała tu od zawsze. Ubaw miał być po pachy.

Kiedy Tyci wrócił do domu, Olki nie było. Krawcowa koleżanki schrzaniła szytą na ostatnią chwilę kieckę i trzeba było pomóc Aldonce coś kupić. Mały siedział na kanapie i grzebał coś w laptopie.

— O, jesteś wreszcie — przywitał Olę uśmiechem, gdy wróciła. Spojrzał na lustro i zagadnął: — Kupiłaś lustro, śliczne. Secesja, prawda? Lubisz secesję — kiwał głową z lekkim uśmieszkiem.

— Kupiłam. A właściwie to Marcin kupił. — Ola aż dreptała w miejscu z podniecenia.

— Tylko że on nie kupi niczego bez twoich wytycznych — zaśmiał się. Olka czekała na ciąg dalszy, a Tyci jakby nigdy nic stukał w klawiaturę. W końcu Ola nie wytrzymała.

— No a co powiesz o lampie?

— Jakiej lampie?

— Jak to jakiej? — Ola wskazała nabytek. — O tej.

— Ta lampa? Przecież ona tu zawsze stała — odpowiedział spokojnie, nie odrywając wzroku od ekranu laptopa. Aldona o mało nie posikała się ze śmiechu, a Olka miała najgłupszą minę we wszechświecie.

Marcin też taki był. Zabawny, inteligentny, troskliwy. Tylko że nie miała go na wyłączność. I to wiecznie niespełnione marzenie, że może kiedyś… Tylko kiedy?

Nie potrafiła już dłużej czekać, zmagać się z tymi wrednymi uczuciami, które przesłoniły jej miłość do

Marcina. Wyznaczyła termin. Dość odległy. Zapowiedziała, że jeśli na lotnisko nie wyjadą z domu razem jak rodzina, to po Tytusa pojedzie już sama. I tak się stało. Nic nie zapowiadało rychłych zmian, więc to Olka coś musiała zmienić. Obcięła włosy na krótko, jak to już raz uczyniła, zaraz po orzeczeniu rozwodu z ojcem Tytusa, zmieniła nieco styl, założyła dżinsy, w których nigdy wcześniej nie chodziła, czarną, zamszową kurtkę, zaopatrzyła się w wydruk mapy dojazdu na poznańskie lotnisko i pojechała. Choć uważała się za niezłego kierowcę, bała się dużych miast. Ale nie z powodu ruchu ulicznego, z nim radziła sobie doskonale. Chodziło raczej o nieznajomość miasta. No i bardzo kiepską orientację w terenie. Wystarczyło, że obróciła się na większym parkingu, a już nie potrafiła wrócić do auta. Często żartowała:

— Jak na starość będę nieznośna, zawieźcie mnie do lasu i zostawcie.

— Wystarczy na parking — śmiali się z niej.

Pojechała. Z duszą na ramieniu, z mapą na siedzeniu i otwartym oknem, bo na trzech kolejnych światłach pytała przechodniów, czy dobrze jedzie.

Kiedy wyściskali się na lotnisku, Tytus spytał:

— Dumna jesteś z synusia, że sam poleciał do Ameryki, znalazł sobie mieszkanie i pracę, popracował i wrócił?

— Jasne. A ty ze mnie, że sama przyjechałam na lotnisko?

— Pewnie, choć jest mi przykro, że jednak sama. Liczyłem, że to się w końcu jakoś rozwiąże — nie ukrywał rozczarowania.

— No, właśnie się rozwiązało — powiedziała ze smutkiem.

Potem był jeszcze niezły cyrk, jak nie potrafiła zjechać z ronda, bo ciągle bała się, że to nie ten zjazd, i krążyła po nim przez parę minut. Oczywiście, droga — w którą w końcu skręciła — nie była tą zaplanowaną, ale z małym objazdem wreszcie trafili na tę właściwą. Prosto do domu. Do pustego domu.

Minęły dwa lata. Tytus przez cały ten czas spotykał się z Marcinem, wyjeżdżali razem na narty, chodzili na mecze i znajdywali inne sposobności, żeby z sobą pobyć. Olka próbowała odnaleźć swoje miejsce w życiu, ale okazało się, że szukała nie tam gdzie trzeba. Tak bywa. Teraz znów planowała zmianę fryzury i małe remonty.

*

Spojrzała w lustro. O matko kochana — pomyślała. Czy da się coś z tym zrobić? Chyba nie wystarczy zwykłe strzyżenie.

No i miała rację. Nie wystarczyło. Polecony przez Tyciego fryzjer przemalował ją na blond, to przecież kiedyś był jej kolor, i skrócił włosy do długości zapałki. Nadłamanej. Wyglądam jak ta laska z Roxette, nawet fajnie — pomyślała Olka. Całą drogę do domu zerkała w lusterko wsteczne, teraz wreszcie pasowała do swojego odjechanego autka.

— Kurde, Olka. Mówiłem, zrób coś, ale nie myślałem, że pójdziesz tak po bandzie — Max miał minę wyrażającą niemal podziw dla jej odwagi. — Ale nieźle, kochana, nieźle.

— To jeden ruch mam już z głowy. Teraz tylko bank i szukanie ogrodnika. Z dekarzami już rozmawiałam. Mogą wejść za dwa tygodnie i w tydzień powinni się uwinąć. Może do lata będę już miała gdzie wypić popołudniową kawę bez strachu, że jakaś decha spadnie mi na globus albo jakiś potwór mnie zeżre w tym gąszczu.

Życie Oli nabrało tempa. Kiedy inni wstawali do pracy, ona przeciągała się w łóżku albo piła kawkę, oglądając coś o przyrodzie. Te programy nigdy jej nie nudziły. Obłożona książkami ogrodniczymi od rana do nocy rozmyślała, co właściwie chciałaby zmienić. Kiedyś liznęła trochę ogrodnictwa, ale od tamtego czasu wiele się zmieniło. Rośliny podlewają się same i to jeszcze o określonej godzinie, chwasty nie rosną w miejscach niedozwolonych albo nawet wcale, już nie sadzi się wyłącznie róż, normalnie… rewelacja. Z każdą kolejną książką miała w głowie większy mętlik. Ale pojawiło się światełko w tunelu. Dowiedziała się, że syn koleżanki pracuje w firmie ogrodniczej i po godzinach chętnie podejmuje się podobnych wyzwań. Umówiła się więc z Marylką i jej synem Michałem.

Michał okazał się jej byłym uczniem, którego już, niestety, nie pamiętała. I choć ją uspokajał, że ma prawo nie pamiętać, bo kończył szkołę, kiedy ona zaczynała pracę, jednak cały wieczór myślała, że to skutki starości.

— Panie Michale… — zaczęła ostrożnie.

— Michał — poprawił ją z uśmiechem.

— Michał. Mam dziesięć tysięcy i chcę to coś przywrócić do użyteczności publicznej. Da się?

— Luzik.

— Ale, Michał — wystraszyła się, że jej nie zrozumiał — płot się przewraca, trzeba to wszystko wykarczować, no i chyba trzeba to będzie wszystko wynosić przez dom, bo nie ma inaczej dojścia do ogrodu.

— Pani Olu, luzik. Niech się pani nie martwi i da mi trochę pomyśleć. Może być przy kawie — uśmiech Michała ją uspokoił. Kasy wystarczy.

Popijali kawę i spokojnie omawiali, co koniecznie chciałaby w tym ogrodzie mieć. Miejsce na ten cholerny basen, to po pierwsze. I nie za dużo roślin, to po drugie. No i niech się same podlewają, to po trzecie. A z resztą jakoś się dogadają.

— Pani Olu, pani ma taką artystyczną duszę. Niech pani spróbuje zaprojektować swój ogród, a ja go pani zrobię.

— Jak to zaprojektować? — zdziwiła się. — Tak normalnie, na kartce?

— Na czym pani tylko chce. Może pani namalować swój ogród na kartce, na płótnie, ołówkiem czy farbami. Obojętnie. Będzie mi łatwiej coś pani zaproponować.

— Ale czy na takim małym kawałku ziemi da się coś zrobić?

— Małe ogrody są cudne. Trzeba tylko wiedzieć, co się tam chce mieć. Ostatnio nasza firma realizowała fajny projekt. Można go obejrzeć w Internecie, bo wygraliśmy dość prestiżowy konkurs na projekt i wykonanie małego miejskiego ogrodu. Naprawdę odjazdowy.

Faktycznie, odjazdowy. Ola obejrzała projekt jeszcze tego samego dnia. Ale raczej nie będzie malowała rowerów na ścianie domu ani udawanych markiz nad oknami. Choć wyglądało to naprawdę fajnie. Miała już pojęcie, co Michał może jej wykombinować na tych kilku metrach kwadratowych. Faktycznie, cuda.

— Tylko projekt musi pani stworzyć sama. Ja nie mam do tego głowy.

No masz ci los — pomyślała. — A miałam nadzieję, że pójdzie gładko.

*

Minęły wyczekiwane dwa tygodnie i do pracy zabrali się dekarze. Kasa już była na koncie i Olka spokojnie czekała na zakończenie prac tarasowo-dachowych. No, może nie tak spokojnie, bo okazało się, że prace prowadzone na zewnątrz mogą zrobić niezły bajzel wewnątrz. Kurz i wióry były wszędzie. Nawet w garnkach. Przetrwała. Zapłaciła. I okazało się, że podłoga nie pasuje do reszty. Piękne dechy i słupy w kolorze wenge aż gryzły się z wyliniałymi płytkami, które — gdy kupowała je kilka lat temu — miały stworzyć wrażenie staroci. Były drogie i ładne. A na wrażenie nie trzeba było długo czekać. Po dwóch zimach już wyglądały jak stare... i to bardzo. Okazało się, że hiszpańskie zimy są zdecydowanie inne od naszych, zwłaszcza jeśli chodzi o temperaturę. Glazura odpadała całymi płatami i w płytkach robiły się dziury. Może to i fajne, ale przy odpadających deskach. Teraz zdecydowanie nie pasowało. Olka wyruszyła więc na poszukiwanie potrzebnych materiałów.

Rany, jak to fajnie mieć cały dzień dla siebie — pomyślała. Zawsze zazdrościła niepracującym zawodowo koleżankom. Miały mnóstwo czasu dla siebie, na swoje zainteresowania i cholera wie na co jeszcze. Tylko że one z reguły zatrudniały panie do prowadzenia domu i nie miały żadnych pasji. To może jednak lepiej pracować? Może.

Przemierzała centra ogrodnicze i składy budowlane. I wciąż nie wiedziała, czego szuka. Ale znalazła, czego nie szukała.

— Wiesz, Max — westchnęła. — Widziałam dziś Marcina.

— Matko, gdzie?

— Na ulicy. Stał z jakimiś facetami i rozmawiał. A może nawet nie. Miał takie smutne oczy, a mnie o mało serce z piersi nie wyskoczyło.

— Olka, coś ty. Nie powiesz mi chyba, że ci go brakuje?

— Nawet nie wiesz jak bardzo. Od wtedy nikt nie mówił do mnie aniołku, kwiatuszku, serduszko. No i co się śmiejesz? — obruszyła się. — Czasami mnie to wkurzało, ale nigdy nie myślałam, że za tym zatęsknię.

Lubiła te pogaduchy przy kielichu. Max potrafił słuchać, nie oceniał, nie krytykował i nigdy nikomu nie powtarzał tych rozmów. Nawet nie myślała, że wkrótce już nie będzie go miała na wyłączność. Max się zakochał. Przynajmniej tak myślała. Nie miał dla niej czasu, a jeśli znajdował chwilę, to częstował Olę kawą... kawą! I nie marudził. W ogóle nic nie mówił. Musiała chyba poszukać zastępstwa, bo kto jej teraz będzie słuchał? Przecież nie Max z tym nieobecnym wzrokiem.

*

Wieczorem zaczęła przeglądać strony o ogrodach. Coś w końcu musiała Michałowi wyrysować. Nie miała weny. Sprawdziła pocztę. Reklamy i jakieś bzdury od nieznanych nadawców. Nie otwiera takich. Usuń. Przejrzała Naszą-Klasę. Zapisała sobie kiedyś wiadomości od Marcina, nie wiadomo po co. Były tak rozpaczliwie smutne, kiedy chciał jeszcze coś wyjaśniać i ratować. Zalogowała się na pocztę. Zaczęła pisać.

(Nowa wiadomość).
Marcin, jak mogłeś mi to zrobić? Jak mogłeś kazać mi tak długo czekać? Coś Ty sobie myślał? Że będę tak czekać w nieskończoność? Jak ta Penelopa? Do końca życia? Zawsze ta druga? Jak mogłeś to wszystko tak spieprzyć?
(Wiadomość zapisano w kopiach roboczych).

No, przecież tego nie wyśle. Przecież… nawet nie zna adresu. Ale się wyżaliła. I może jej trochę lżej.

*

Nowy dzień, nowe wyzwania. Michał jej podpowiedział, że jeśli chce mieć miejsce na basen i meble ogrodowe, to koniecznie trzeba wybrukować część podłoża. No jasne. Tylko czym? I znów poszukiwania. Kostka brukowa… zbyt pospolita. Kostka granitowa… za ostra. Drewno tarasowe… za mało trwałe. W pewnym składzie budowlanym miły pan podał Olce adres konkurencji. Pojechała. I znalazła. Płyty betonowe imitujące piaskowiec. Fajne, bo nie ciemne i nie za jasne. Ale dość drogie. I jeszcze płyty imitujące stare, rozeschłe deski okrętowe. O cholera! Te są zdecydowanie za drogie — pomyślała. — Ale mają to coś. Podobałyby się Marcinowi, jemu zawsze podobało się to, co później okazywało się najdroższe. Miał niezły gust. No choćby ja. Tylko że to nie mnie ostatecznie wybrał. Szlag! Jeszcze pomyślę.

Olka pogadała z miłą panią z obsługi, policzyły, pogdybały i Ola obiecała, że to przemyśli. Kamień udający okrętowe deski musieliby sprowadzić specjalnie dla niej. A niby dlaczego nie?

*

Kiedy tak myślała o niby-deskach i niby-piaskowcu, wpadła na przeszkodę. I to jaką!

— Cześć, Dorota! Jak miło cię widzieć. Co słychać? — Olka ucieszyła się na widok pulchnej matematyczki ze swojej szkoły. Lubiła Dorotę, tę trochę zakompleksioną z powodu swojej lekkiej nadwagi, ale uśmiechniętą, radosną młodą kobietę. Młodszą od Olki o całe piętnaście lat. Nie czuły jednak z tego powodu dystansu.

— Ola, świetnie wyglądasz. Nie poznałam cię. Oj, izolacja dobrze ci robi, bo w tym szkolnym cyrku można zwariować. Mówię ci, w dobrym momencie sobie odpuściłaś, koniec roku za pasem. Też bym tak chciała — westchnęła — tylko nie wiem, komu przyłożyć. — Zaśmiała się i objęła Olkę pulchnymi ramionami.

— Dorcia, chodź na kawę, pogadamy.

— Ola, ty nie masz pojęcia, co się narobiło — Dorota łapczywie przerzucała karty menu ze zdjęciami deserów. — Ksiądz Wojtek... Jakby go ktoś podmienił, czy coś. Miły jakiś, uśmiechnięty — zamyśliła się. — Może chory? Bo to do niego niepodobne.

— A Mariolka, co z Mariolką?

— Nie było jej kilka dni, ale już wróciła. Dziwna jest. No, zawsze była dziwna, ale teraz — spojrzała gdzieś w przestrzeń, szukając odpowiedniego słowa — jeszcze bardziej „zdziwniała".

Dorotka pochłaniała olbrzymi deser z bitą śmietaną i opowiadała o szkole.

Jak ona to robi? — pomyślała Ola. Wsunęła już niemal cały deser, opowiedziała mi intrygujący serial pod tytułem „Szkoła", pokazała wszystkie zakupy z nowej galerii, a ja jestem w połowie kawy. Za to właśnie lubiła Dorotę. Przy niej życie nabierało innego tempa, choć Ola to też żadna mimoza.

— Ola, a co u twojego kumpla Maxa? — zapytała nagle.

— A skąd znasz Maxa?

— No jak to? Zapomniałaś? — Zrobiła zdziwioną minę.

Zapomniała. Przecież spotkali się właśnie tu. Max lubi desery, a lodziarnia na rynku była najlepsza w mieście. Zupełnie o tym zapomniała. Wcinali olbrzymie melby, kiedy przyszła Dorota. Sama. Usiadła i chciała złożyć zamówienie, ale Ola zawołała ją i zaprosiła do ich stolika, żeby nie siedziała sama jak torba jakaś. Max uśmiechał się do Doroty i przyglądał się jej z zaciekawieniem. Zerkał na jej wypielęgnowane dłonie i nienagannie umalowaną twarz. Oj, była w tym mistrzynią, a Max potrafił to docenić jak nikt inny. Ola wiedziała, że Max znajdzie sposobność, aby zerknąć na śliczne stopy Doroty w japonkach. Znała go... i nie rozgryzła do końca. Dorota, zwykle rozgadana, mówiła nieco mniej, jednak jadła z entuzjazmem, jak zwykle.

— Bez zmian. Chyba — sama nie wiedziała, co powiedzieć.

— Pozdrów go, proszę. Miły facet. Nie dziwię się, że się z nim spotykasz.

— Dorota, ja się z nim nie spotykam. To mój przyjaciel, brat prawie. Znamy się od wielu lat i nigdy nie przyszło mi do głowy, żeby myśleć o nim inaczej — oburzyła się Ola.

— A to ci się dziwię — jednak wyraźnie odetchnęła z ulgą. — Facet jakich mało. Więc tym bardziej pozdrów go, proszę.

Co to miało być? — myślała Ola, jadąc do domu. Czy coś przegapiłam? Przecież nie jestem jakaś głupia gęś. O co tu chodzi? Max podoba się Dorocie? Czy ona jest ślepa? Nie widzi, że to gej? A może… to ja jestem ślepa? O cholera!

*

— No i co, pani Olu? Co pani wymyśliła? — zapytał uśmiechnięty Michał, kiedy zjawił się nie wiadomo skąd w ogrodzie. Przecież nie wchodził do domu.

— Michał, skąd się tu wziąłeś? — Olka miała dość głupią minę. Nikt nie dzwonił do drzwi i nikogo nie wpuszczała.

— O, ma pani bardzo miłych sąsiadów. Spytałem, czy mogę wynosić zdemontowane płyty przez ich podwórko. A oni zaproponowali, żebyśmy wszystko co niepotrzebne wynosili tamtędy. Mili są, bardzo. Więc nie musi już pani na nas czekać. Poradzimy sobie.

Michał miał dziś pomocnika, swojego kuzyna. Kuba nie jest ogrodnikiem, tylko elektrykiem, ale widocznie profesje podobne, bo doskonale sobie w tym gąszczu radził. Płot poległ. Może niezupełnie samodzielnie, ale jednak zniknął. Płyty były dość solidne, więc Michał zaproponował ich odnowienie: przeszlifowanie i bejcę. Oczywiście w innym kolorze. Olka ma sama wybrać. Wybrała. Mahoń. No, może nie wybrała sama… Była promocja i tylko mahoń oferowano w bardzo atrakcyjnej cenie, a kilka wiader musiała przecież zakupić. Wybór koloru okazał się bardzo trafiony. Nie będzie się zlewał z korą na wyściółce, bo jednak trochę jej zaplanowała. Przecież nie zabetonuje całego ogródka.

— I co zostawiamy? — Michał zatoczył łuk piłą łańcuchową. — Czy może tniemy, jak leci?

— Koniecznie ten olbrzymi jaśmin, koniecznie leszczynę na końcu ogrodu...

— Co, tniemy? — Michał wyraźnie się z nią przekomarzał.

— Nie! Zostawiamy! — wystraszyła się.

— A co z tym jałowcem? — wskazał na stary krzew, który rok temu w nagłym przypływie miłości do Dalekiego Wschodu Olka przycięła na bonsai. Wyszło nieźle, tylko do niczego absolutnie nie pasowało. Stał taki powyginany i pewnie sam się dziwował, co tu robi.

— Jeszcze nie wiem. Może zostawmy... — zmrużyła oczy i próbowała sobie wyobrazić otoczenie dziwoląga.

— Może ogród japoński? — zaproponował Kuba.

— Może. Pomyślę.

Co to do cholery jest? — spanikowała. — Ogród japoński. Ale poruta! Muszę dziś posprawdzać.

Sprawdziła. Głupio było się przyznać, że nie miała bladego pojęcia, o czym chłopaki mówią. Cały wieczór przesiedziała z nosem w Internecie i czytała, i oglądała. To jest to! — pomyślała. Ogród japoński. Jakie to proste i inne od tego, co znała. Trochę wody, kamienia i niewiele roślin. Absolutny strzał w dziesiątkę. Tylko niech jeszcze one, te rośliny, same się podlewają. Więc postanowiła. Zostaje jaśmin, leszczyna i wschodni dziwoląg, a resztę trzeba dokupić. Tylko żadnych liści. I tak spadnie ich cała masa z jaśminu i leszczyny. No i jeszcze liście winobluszczu, który tak urokliwie otula ściany tarasu. I tak będzie co zgarniać.

Teraz projekt to małe piwo. Kartka, ołówek, parę minut i gotowe.

Michał spojrzał na szkic.

— No i o to szło. Teraz tak, trzeba kupić sto metrów linii kroplującej z końcówkami, pięćdziesiąt metrów kwadratowych agrowłókniny i tyle samo tkaniny. Może trochę mniej. Najwyżej się dokupi. Jeszcze sterownik czasowy i rozdzielacze do wody, szybkozłączki, no a resztę będziemy kupować na bieżąco.

Masz ci los! Znów zagadka — pomyślała. Udawała, że wie, o co chodzi, skrzętnie notowała i robiła mądrą minę. Ale Michał chyba nie dał się nabrać. Tyle tylko, że choć smarkacz, to facet z klasą, więc też udawał, że nie zauważa małej paniki. I po cholerę mówiła mu, że kończyła technikum ogrodnicze? Przecież w tamtych latach kosiarka do trawy była niemal jak statek kosmiczny. Zresztą, kto wtedy siał trawę? Sadziło się róże, tulipany i inne kwitnące rośliny, siało się marchewkę, pietruszkę, ogórki. Takie to było ogrodnictwo. A dziś? Ogród japoński, linia kroplująca, sterowniki czasowe. I co jeszcze? Nic to. Przyjdzie się pouczyć.

*

— Max, masz pozdrowienia od Doroty, tej mojej pulchnej koleżanki z pracy — Ola ciężko siadła na krześle. — I daj mi, człowieku, metaxy. Jak mnie poczęstujesz kawą, to cię zabiję.

— A gdzie spotkałaś Dorotę? — zapytał jakby od niechcenia, wyciągając z szafki szklaneczkę i smukłą butelkę ulubionego trunku Olki.

— No jak to gdzie? Pod twoją cukiernią. Jak chcesz spotkać Dorotę, to wystarczy tam pójść po jej lekcjach. Codziennie ma ich pięć, więc nie trzeba być wróżką. Wiesz, mówiła mi, że klecha dziwnie się zmienił. Może dyro wreszcie mu nagadał, a może lekko nim wstrząsnęłam. W sumie zachował się OK, że nie miał do mnie większych pretensji. Aż dziwne — zamyśliła się.

— Jak tam twój ogród? — zapytał.

— Myślałam, że jestem trochę bystrzejsza. A ciemna jestem jak… jak tabaka w rogu. Cały wczorajszy wieczór próbowałam się dowiedzieć, z czym się je to automatyczne podlewanie. Matko kochana, nie masz pojęcia, stary, ile się w tej działce zmieniło. Montujesz raz taki system i wszystko masz w nosie. Samo się podlewa.

— Myślisz o tych automatycznych zraszaczach? — Max wreszcie okazał zainteresowanie i chciał przed nią błysnąć.

— No właśnie nie — z satysfakcją zakomunikowała. Przynajmniej nie tylko ona jest taka ciemna. — Wyobraź sobie, że możesz pod każdą roślinę doprowadzić linie kroplującą z emiterem wody. Podlewa się bezpośrednio do korzenia.

— Że co?

— Taki wąż z dziurkami, dziurka musi być przy samej roślinie. Potem nakrywa się to agrowłókniną, żeby nie rosły chwasty i nie było utraty wilgoci. Na końcu sypiesz wybraną wyściółkę. Z tym że pod korą musi być agrowłóknina, a pod kamieniami tkanina. Jest mocniejsza. Potem wszystko łączysz szybkozłączkami ze sterownikiem czasowym podlewania, programujesz czas nawadniania i możesz już tylko leżeć.

— Ola, ale się obkułaś — pokiwał głową z uznaniem.

— Wiesz, jak mi było wstyd, że pochwaliłam się technikum ogrodniczym, a gówno o ogrodnictwie wiem? Musiałam się podszkolić. No i zrobiłam zakupy ogrodnicze. Michał dał mi zadanie, ja poszłam na skróty i zamówiłam wszystko przez Internet. Oczywiście kupiłam coś ponad plan... ale co tam.

— Co kupiłaś?

— Hydrant uliczny. Śliczny. Stylizowany na stary, żeliwny, taki...

— Z duszą? — podpowiedział i uśmiechnął się kącikiem ust.

— No właśnie. I nie żadna atrapa. Prawdziwy. Tylko musiałam zadzwonić do sprzedającego, bo nie mogłam pokumać sposobu podłączenia. Ale już wszystko wiem. Dolej mi — poprosiła z uśmiechem.

*

Dodatki do hydrantu Ola postanowiła kupić w zaprzyjaźnionym sklepie z narzędziami. W końcu jak się samemu buduje, mieszka i remontuje, to trzeba się zaprzyjaźnić ze sklepem z narzędziami. A właściwie z jego właścicielami.

— Pani Beatko, potrzebuję ze... — zaczęła przemierzać sklep długimi krokami — dwadzieścia metrów węża ogrodowego, ale żeby mi go po dwóch zimach szlag nie trafił. — Nie mogła jednak odżałować hiszpańskich płytek.

— Jaki gruby?

— Taki — Ola pokazała palcami. — Potem jeszcze takie kolanko trzy czwarte cala z gwintem z jednej strony... Zresztą zaraz — wydobyła z torby złoty kran od hydrantu i zaczęła tłumaczyć: — Tu musi byś gwint, a tu połączenie na szybkozłączkę albo coś innego. I potem jeszcze kawałek węża i jeszcze jedna szybkozłączka, żebym mogła to łatwo zdemontować — cały czas gestykulowała, pokazując, co w co ma wchodzić.

Pani Beatka kiwała głową ze zrozumieniem, chodziła po sklepie i zbierała z półek potrzebne rzeczy. O nic nie pytała.

— Aha. I jeszcze rozdzielacz na kran ogrodowy. Na trzy czwarte cala.

— Na ile węży?

— Na trzy. I jeszcze — Ola zamknęła oczy i wskazując coś palcem, zaczęła liczyć, obracając się dookoła — jedna, dwie, trzy... tak, trzy szybkozłączki.

— Może lepiej cztery? Jak coś zostanie, to pani odda. Nie będziemy dziś kasować.

— Super. To chyba wszystko. Ach, jeszcze jakiś drut, nie za twardy, do mocowania włókniny, zrobię takie szpilki. Oryginalne są za drogie, a to w końcu tylko drut — uzasadniała, cały czas gestami rąk pokazując, o co chodzi.

Całej tej scenie przyglądał się z otwartymi ze zdziwienia ustami młody sprzedawca.

— Święci pańscy, szefowa, co to było? — zapytał, imitując zarejestrowane przed chwilą ruchy Oli.

— Jak to co? Nigdy nie widziałeś, synku, jak kobiety rozmawiają na fachowe tematy? — Ola odwróciła się już w drzwiach, wydęła wargi i pokiwała ze zrozumieniem głową. — Musisz się jeszcze wiele nauczyć.

Nic z zakupionych przedmiotów nie było do zwrotu. Wszystko pasowało.

*

(Nowa wiadomość).

Wiesz, wyremontowałam taras. Już się sypał. Zmieniłam dach, płytki, wyrzuciłam ziemię z tych ceglanych koryt. Zaczęły przeciekać. Już nie chciałam nic w nich sadzić, więc nakryłam je słupami z płotu. Słupy pomalowałam lakierobejcą w kolorze wenge, wyglądają jak podkłady kolejowe. Robi to niezłe wrażenie, szczególnie jak pozapalam świece w latarenkach i porozstawiam na tym blacie. Podniosłam nieco mur z obu stron. Od strony Asi i Jacka zarósł winobluszczem i tylko przez okienko mamy jakiś kontakt. Postawiłam tam kamienne koryto z pelargoniami, wygląda uroczo. Kazałam zrobić w murkach wystawki do latarni i świec, nawet ich tylu nie mam.

Siedzę teraz na tarasie, pozapalałam świece i piszę do Ciebie. Nie wiem po co, bo i tak tego nie wyślę. Ale jest tak cudnie i... smutno.

Posadziłam jesienią lilie w donicach, teraz mi pięknie pachną. Miały być różnokolorowe, pani na targowisku nawet popakowała mi je osobno, żebym nie pomieszała kolorów, a wyrosły wszystkie białe. Ale pachną nieziemsko, więc niech sobie są i białe. Szkoda, że nie możesz tu być. Zresztą, kiedy mogłeś, też

nie byłeś. Marcin, czemu nam to zrobiłeś? Jak mogłeś, Marcin?
(Wiadomość zapisano w kopiach roboczych).

Po co to piszę? Ma być mi lżej, a nie jest — pomyślała. Ale przypomniała sobie te smutne oczy. A może jeszcze mnie kocha? Przecież mówił, że na całe życie. No ale mówił sporo i sporo obiecywał. I co z tego wyszło? Żal i łzy. Szkoda. Czuła, że jest to coś wyjątkowego, coś, co nie każdemu się trafia. A może trafia się tylko nielicznym. Widać nie Oli.

*

— Max, jak masz ochotę pograć w piłkę plażową, to zapraszam do siebie — Ola weszła do kuchni i opadła na drewniane krzesło.

— Czemu akurat w plażową?

— No jak to czemu? Bo do niej potrzebny jest piach. A mam go od cholery.

— Piachu? Skąd? — zdziwił się.

— Ano, okazało się, że jak już wszystko w ogrodzie wykarczowano, został tylko piach. Niby pamiętam z czasów budowy, że gleba tam była raczej kiepska. Piąta czy nawet szósta klasa. Tylko cebula się na niej udawała. Ale żeby tyle piachu? Nieważne — machnęła ręką — przynajmniej nie muszę zamawiać żwiru pod brukowanie.

— I na co się w końcu zdecydowałaś?

— Na ten niby-piaskowiec i niby-stare dechy. Kosztuje kupę kasy, ale trudno. Nie robię tego przecież na jeden sezon.

— Byle nie było jak z tymi płytkami na tarasie…

— O matko, nie strasz. A co z twoją książką? — zmieniła temat. — Dawno nic nie mówiłeś.

— Bo i nie było o czym — westchnął.

Max od kilku lat pisze. Trudno powiedzieć co. Zaczął od krótkich opowiadań, które wysyłał na konkursy literackie, zresztą z pewnymi sukcesami, potem napisał powieść. Nikt nie chciał jej wydać, więc zajął się tym sam. I dobrze zrobił. Książka się spodobała, nawet nieźle na niej zarobił. Znów coś pisze, tylko nic Oli o tym nie mówi. Na chleb codzienny zarabia redagowaniem prac dyplomowych i nie marudzi. Mówi, że z czegoś trzeba żyć, a że jest szybki w pracy, słowny i rzetelny, na brak klientów nie narzeka.

— Nie pojechałbyś ze mną na szpery? — zapytała z przymilnym uśmiechem, bo wiedziała, że Max nie jest ich fanem.

— A czego będziemy szukać tym razem?

— Muszę zorganizować jakąś wodę w ogrodzie — zaczęła — bo wiesz, ogród japoński to prostota, harmonia, asymetria i elegancja. Powinny w nim być kamień, woda lub żwir, który ją imituje, no i zieleń. Bez zbędnych kolorów, tylko zieleń, kolor może być tylko pojedynczym akcentem. Z kamieniami sobie poradzę, z zielenią też, ale wodę muszę wykombinować.

— A nie wystarczy ci ta w hydrancie?

— Nie. Musi być stojąca. To znaczy może płynąć, ale raczej nie z kranu. No i chciałabym lilie wodne. W hydrancie to się pewnie nie uda.

— No raczej — przyznał. — To kiedy chcesz jechać?

Dzień był ciepły i słoneczny. Akurat piątek, co było bardzo istotne w przepadku tego cudu bazarowego, bo we czwartki przywożono zwykle „nowy” stary towar. W piątki jest najwięcej atrakcji, w soboty i niedziele najwyższe ceny, w poniedziałki okazje. We wtorki i środy nie ma po co jechać, a czwartki są mało bezpieczne, bo można być najechanym przez ciężarówkę albo, nie daj Boże, doznać załamania nerwowego wskutek zadrapania cudnego auta.

— Cholera, znów nie ma gdzie stanąć. Czy ci wszyscy ludzie powariowali? To już nie ma centrów handlowych? O, jest miejsce — ucieszyła się Ola i zgrabnie wjechała na pobocze jezdni, pod drzewo.

— Tylko zapamiętaj, gdzie zostawiłaś samochód — zaśmiał się Max. On też znał jej przypadłość.

— Ha, ha! Bardzo śmieszne — Ola udawała, że się obruszyła. Wszyscy sobie z niej żartowali, to dlaczego nie Max?

Fenomen tego miejsca polegał na tym, że oto zwykła wieś przerodziła się w ogromną galerię ze starociami, z parkingiem wzdłuż całej wsi. Jeśli przyjechało się zbyt późno, to o zaparkowaniu w dogodnym miejscu można było tylko pomarzyć. I nic nie dało czekanie, że a nuż ktoś wyjedzie. Przyjeżdżało się tam na cały dzień handlowy (w dni powszednie od dziesiątej do szesnastej, w niedziele od zakończenia porannej mszy do godzin poobiednich). Jak już kto postawił gdzieś swoje auto, to miejsce parkingowe przepadło. Czasami trzeba było zaparkować za wsią i drałować niezły kawałek. I żadnej wolnoamerykanki, czyli stawania w bramach czy zastawiania cudzych aut. Policja była tam bardzo czujna.

— To czego szukamy? — zapytał.

— Tak do końca to jeszcze nie wiem. Może jakiejś starej balii albo wanny cynkowej, może jakiejś beczki. Nie mam pojęcia. Pomóż.

Zaczęli przemierzanie obór, chlewni, tuneli foliowych i innych najdziwniejszych pomieszczeń. Oglądali wanny, wielkie donice, stare kociołki. I nic. A na domiar złego ceny tych klamotów były zadziwiające.

Absolutną mistrzynią w szperach była Małgosia, koleżanka Olki z osiedla. Pewnego razu wybrały się na wspólne poszukiwania. Gośka wiedziała, którego dnia najlepiej przyjechać. Wybrały się w pewien piątek. Zaparkowały i ruszyły. Co to był za maraton. Olka nie zapomni go do końca istnienia tego „centrum handlowego". Gośka nie marudziła. Stawała w wejściu, ewentualnie robiła jeszcze dwa kroki w przód, po czym obracała się na pięcie i wychodziła. Olka zwykle się wtedy z nią zderzała.

— Zaczekaj, chcę choć rzucić okiem.

— Nie ma na co, chodź! — padał rozkaz i Olka kłusem zasuwała za Gośką.

Nie mogła się nadziwić, jakim cudem Gosia wynajduje różne cacka, skoro nawet nie przegląda półek. Okazało się, że była w tym metoda. Gośka już na pierwszy rzut oka oceniała, czy w ogóle warto wchodzić dalej. Zwykle nie było warto. Toteż gnała jak huragan przez kolejne chlewiki, stodoły, tunele foliowe. Jeśli brała już coś do ręki, to z zamiarem kupna (oczywiście po uprzednim targowaniu się). Dzięki temu wracała do domu z kryształowymi kieliszkami, z pięknymi ceramicznymi donicami, a nawet z kupionymi za parę groszy bardzo dobrymi garnkami. Ola kupiła niemal identyczne na raty i spłacała przez trzy lata. Ale samo towarzyszenie Gosi w poszukiwaniach niczego nie ułatwiało. Wręcz przeciwnie. Ola wróciła do domu z odciskami i bolącymi nogami oraz z postanowieniem, że już nigdy z Gosią na szpery nie pojedzie. Max pamiętał te opowieści o karkołomnej gonitwie po oborach i straszne narzekania na bolące nogi.

— No wiesz, Ola, może lepiej pojedźmy do centrum ogrodniczego. Nie nałazimy się, a i tak pewnie kupimy taniej. Znam tu niedaleko takie centrum zaopatrzenia sklepów. Może tam coś znajdziemy.

I rzeczywiście, wybór był szeroki. Ceramiczne, olbrzymie, ciężkie i pięknie lśniące donice, ale też te stylizowane na stare, które od razu przykuły uwagę Oli. Ceny nie były okazyjne, ale niewiele wyższe niż na szperach. Trzeba było wydać parę stów, co ostatnio Oli przychodziło z trudem. Więc gdy wpadła jej w ręce popielata, przecierana donica za niecałe cztery dychy, zaniemówiła. Okazało się, że to plastik, ale doskonale zrobiony, ze wzorem kwiatowym.

— Ta i żadna inna — ucieszyła się.

— Co ty, przecież ma wzór secesyjny. Secesja? Do ogrodu japońskiego? Ola!

— To dlatego tak mi się spodobała.

— Cena czy donica? — zapytał.

— Jedno i drugie. Bierzemy ją — capnęła donicę, bo w tym kolorze była jedna jedyna. — Max, zapłać proszę — podała mu pieniądze i popchnęła lekko do kasy.

Przy kasie dwie panie lekko trącały się łokciem i z zadziwieniem przypatrywały się Oli. Co jest? — zastanawiała się. Myślały widocznie, że donica jest kamienna, bo na taką wyglądała, i podziwiały krzepę Oli. To przekonało ją o słuszności zakupu i z dumą pomaszerowała do auta.

*

— Pani Olu, mój szef się o panią dopytuje — pewnego popołudnia przywitał ją Michał.

— Jak to dopytuje? Coś mu jestem winna? — zdziwiła się.

— Nie, tylko mówiłem, że pani pięknie maluje, a nam potrzebny jest ktoś do zespołu. Poprzedni malarz... No, jak by to powiedzieć, już nie wiedział, ile chcieć za pomalowanie ścian, i trochę się na szefa obraził. Ja się pochwaliłem, że znam pewną artystkę, i teraz szef nie daje mi spokoju. Czy mogę dać mu pani numer telefonu? Prosił o niego.

— Jasne. Nie wiem, w czym mogłabym pomóc, ale... jasne.

*

— Ej, stary, szykuje mi się nowa robota — Ola radośnie zakomunikowała Maxowi, ale widząc go odzianego w fartuszek kuchenny, lekko się zdziwiła. — A tobie co? Pogięło cię? Ty przy garach? — niedowierzała. Jej przyjaciel był fanem zamawianych dań. Niczego nie pichcił, no chyba że z Adamem, ale do weekendu jeszcze daleko.

— A, tak sobie coś próbuję — lekko się zmieszał.

— Jakie coś? To jakiś deser? Co to? — umoczyła palec w czekoladowej masie i polizała. — Budyń czekoladowy. Dobre to i ładnie wygląda.

— To bardzo proste — rozochocił się. — Na dnie pucharka robisz kleks z konfitury z czarnej porzeczki, potem zalewasz to czekoladowym budyniem. Nie wyżej jak do połowy pucharka. Kiedy budyń wystygnie, kładziesz kilka wiśni, takich z kompotu, ale można kupić takie drylowane w słodkim soku. Potem zalewasz to galaretką, tak na wysokość połowy budyniu, i tuż przed podaniem dodajesz bitą śmietanę. Można to wszystko polać polewą czekoladową — mówił z entuzjazmem. Ola o mało nie połknęła muchy. Siedziała z rozdziawionymi ustami i ledwo wyjąkała:

— Wiśnie drylowane? Skąd znasz takie pojęcia? A co to jest? — wskazała na coś, co do złudzenia przypominało syfon na naboje do robienia wody gazowanej, jaki pamiętała jeszcze z czasów komuny. Był taki w każdym domu. Srebrzyste, metalizowane butle na jeden litr wody. Wkręcało się nabój, trochę pobulgotało, i już za chwilę można było napić się wody z bąbelkami.

— To? — Max wziął do ręki srebrzyste cudo. — To syfon do robienia bitej śmietany. Kupiłem przez Internet. Tu lejesz kremówkę, możesz dosłodzić, dolać ekstraktu z kawy albo czego tylko chcesz, wkręcasz nabój i za chwilę masz bitą śmietanę. Może być nawet smakowa. W tym syfonie może stać w lodówce nawet tydzień. Chcesz kawy z bitą śmietaną? — podetknął jej pod nos syfon.

— Poproszę jednak coś mocniejszego.

*

(Nowa wiadomość).

Już zupełnie nie wiem, co się dzieje. Pamiętasz Maxa? Czasami byłeś o niego zazdrosny, zupełnie nie rozumiałam dlaczego. On nie gustuje w kobietach, przynajmniej tak mi się wydaje, chociaż teraz już niczego nie jestem pewna. Przestał marudzić, w ogóle jakoś mało mówi i chyba nie bierze już antydepresantów. Zaczął

gotować. Co wejdę do niego, to grzebie w kuchni ubabrany czekoladą, bitą śmietaną i cholerą wie czym jeszcze. Teraz to już tylko z nim mogę pogadać, choć on nie potrafi mnie słuchać tak jak Ty. Brakuje mi tych chwil, kiedy mnie słuchałeś, obojętnie jakie pierdoły zza stodoły bym Ci opowiadała. Ty wiedziałeś, że kobieta musi się po prostu wygadać, że jeśli facet mówi, to znaczy, że musi coś zakomunikować, a kobieta, ja w szczególności, gada, bo lubi. Cholera, ale mam katar, to pewnie przez klimatyzację w samochodzie. Kończę, bo jak kichnę jeszcze raz z takim odrzutem, to pewnie rozwalę głową komputer. Dobranoc, Marcin.
(Wiadomość zapisano w kopiach roboczych).

Wyłączyła komputer i się zamyśliła. Ciekawe, co on teraz robi? Może ogląda mecz, może jakiś stary film? — Westchnęła.

Kiedyś oglądali je razem i zawsze dobrze się bawili, nawet jeśli widzieli coś po raz setny. Marcin wiedział, w którym momencie Olka zacznie ryczeć i chwilę wcześniej podawał jej chusteczkę albo przytulał. To lubiła najbardziej. Mało jednak było takich wieczorów, zwykle Marcin szybko się zbierał i wracał do żony. No właśnie... do żony. Dlaczego świat jest tak urządzony, że fajni faceci mają żony mimozy, na które zwykle narzekają, a zaradne, przedsiębiorcze kobiety są wykorzystywane przez mężów tyranów. Może właśnie tak ma być, żeby ciapowate żony nie umarły z głodu i miał kto tyrać na nieudacznych mężów. Może, ale Olka nigdy nie mogła tego zrozumieć. Sama po kilkunastu latach wyzwoliła się z nieudanego małżeństwa i głosiła tezę, że lepiej być samemu niż w nieudanym związku. Jeśli mimo wszystko ktoś uparcie trwa na posterunku, to albo jest mu dobrze, albo nie ma siły odejść i nigdy tego nie zrobi. Tego właśnie nie potrafiła wytłumaczyć Marcinowi. Zrozumiała, że po prostu nie kocha jej tak, jak to deklarował, i dała spokój.

Szkoda — pomyślała — bylibyśmy cholernie szczęśliwi.

*

Zadzwonił telefon. Numer prywatny. A to kto? — pomyślała.

— Halo?

— Dzień dobry. Mówi Robert Mazurek. Dostałem pani numer od Michała.

— A, tak. Już wiem, dzień dobry.

— Pani Olu, Michał wiele mi o pani mówił. Wspominał też, że świetnie pani maluje i ma trochę wolnego czasu. Czy w związku z tym moglibyśmy się spotkać? Bardzo chciałbym z panią porozmawiać, a rozmowa przez telefon to żadna rozmowa. Czy pozwoli się pani zaprosić na kolację? — Głos w telefonie był miły i ciepły. Jak tu się nie zgodzić? Ale tak od razu… kolacja? — pomyślała Olka.

— No jasne — odpowiedziała, ale się zawahała. — Tylko z tym wolnym czasem to Michał jednak chyba nieco przesadził.

— Ale na kolację trochę go pani znajdzie? — zaśmiał się luzacko Robert Mazurek.

— Pewnie.

Umówili się nazajutrz w małej gospodzie pod miastem, tuż przy centrum ogrodniczym. Ola zajechała swoim ślicznym czarnym autkiem, które lśniło jak zwykle. Lubiła je myć sama w myjni samoobsługowej, w której przy drugiej wizycie pan obsługujący zdradził Oli kilka sztuczek, jak umyć samochód lepiej i łatwiej. Chwalił ją za sprawność i mówił, że aż miło patrzeć, jak uwija się przy swojej bryczce. O co chodzi — pomyślała wtedy — przecież nie myłam auta w mokrej koszulce, zresztą na co tu teraz patrzeć? Okazało się, że pan po prostu doceniał jej profesjonalizm. I dobrze, każdy chce być za coś ceniony.

Na tarasie gospody stał młody, przystojny mężczyzna i uśmiechał się radośnie.

To chyba ten — pomyślała, bo nikogo innego nie było w pobliżu, a nie miała bladego pojęcia, jak facet wygląda. Ogrodnik, szef Michała, zajmuje się projektowaniem i zaopatruje firmę w potrzebne materiały. Nic więcej o nim nie wiedziała. Mogła go sobie wyobrazić jako wielkiego faceta z grabiami na ramieniu, ewentualnie opartego o łopatę, i z laptopem pod pachą. No, może jeszcze z komórką, bo jakoś musi te towary zamawiać. A tu masz. Niespodzianka w dżinsach, białej koszuli i zamszowej marynarce. Kiedy Ola wysiadła z auta, zszedł ze stopni, podszedł i przywitał ją:

— Witam, pani Olu. Od razu widać, że ma pani swój styl — spojrzał z uznaniem na jej auto.

— Skąd pan wie, że to ja? — spojrzała przebiegle i próbowała się z nim przekomarzać.

— Michał mi panią dokładnie opisał. Zresztą, nie sposób pani przegapić, nawet bez tego opisu.

Chyba mnie nie podrywa — zastanowiła się. Nie! Za młody. Ale zabrzmiało to jak komplement.

Przepuścił ją w drzwiach, odsunął krzesło, pomógł siąść i dopiero potem sam zajął miejsce. Kurczę, czy to aby na pewno ogrodnik? — pomyślała. Kelner przyniósł karty.

— Na co ma pani ochotę? — spytał.

Już ja wiem, na co — sprośna myśl przeszła jej przez głowę — ale jesteś jednak, facet, trochę za młody. Czy ja zwariowałam? Umówiłam się przecież w interesach. Chyba.

— Tylko proszę nie mówić, że nie jest pani głodna.

Facet, nie ma takiej sytuacji, w której nie jestem głodna — pomyślała. — Jeść mogę absolutnie zawsze i wszędzie. Jednak Robert usłyszał:

— Jeszcze nie jest tak późno, po osiemnastej raczej już nie jem.

Akurat! Myślałby kto.

Zamówili lekką kolację, choć Olka potem żałowała swojego popisu na temat zdrowego odżywiania. Kelner przyniósł do stolika obok półmisek grillowanych mięs, sosiki do tychże mięsideł, ziemniaczki w kilku wcieleniach: pieczone w folii, smażone, krokieciki, frytki, a do tego inne szaleństwa wielkopolskich pól i całe góry grillowanych warzyw. O, głupoto ludzka! Na szczęście ich kolacja okazała się równie okazała i pyszna. Może jednak trochę lżejsza.

— Michał opowiadał o pani ogrodzie. Podobno zrobiła pani świetny projekt.

— Zaraz tam ogród. Trochę większa doniczka i tyle. Jednak miałam z nim ciut za dużo zachodu. Pracuję zawodowo, a właściwie pracowałam. Teraz ucięłam sobie roczne wagary. I jeszcze trochę maluję. Wie pan, panie Robercie…

— Proszę mi mówić po imieniu i jeśli pani pozwoli, też będę się tak do pani zwracał. Masz takie ładne imię — uśmiechał się przymilnie.

Cholera, czego on chce? Czemu taki miły? Mam mu pomalować całe stare miasto? — wystraszyła się. Jednak nie umiała oprzeć się temu błyskowi w oczach.

— Super, tak będzie prościej. Jestem Ola — wyciągnęła dłoń.

Ujął jej dłoń w swoje ręce, pochylił głowę i pocałował w opuszki palców.

— I już? Tak po prostu? — zapytał z diablikiem w oczach.

— Nie mamy alkoholu — zmieszała się.

— No i nie o alkohol tu chodzi — odparł, wstał, podszedł do niej, ujął jej twarz w obie dłonie i pocałował prosto w usta.

Ja pierniczę — spanikowała — co jest grane? Mieliśmy rozmawiać o interesach, a na razie to jakieś tańce godowe. Cholera, wiosna za pasem, ale bez przesady.

— No i właśnie — próbowała kontynuować, wyraźnie zmieszana — trochę maluję, bo przecież jakoś na życie trzeba zarobić. Szkoła to jednak tylko szkoła. I pensja taka jak ta szkoła. A miałam syna na studiach i jakoś musieliśmy dać sobie radę.

— Ale w tym to podobno jesteś mistrzynią. Słyszałem o twoich zdolnościach i zacięciu. A jak ci się podobały nasze wykonania miejskich ogrodów?

— Świetne. Nie wpadłabym na to. To twój pomysł?

— Tylko pomysł. Bo, niestety, malować nie potrafię. A bardzo chciałbym. Może mnie nauczysz? — Znów ten diablik w oczach.

— To tak nie działa. Nie da się tak. Albo umiesz malować, albo nie. Na tym etapie życia talentu nie dogonisz, możesz wytrenować parę rzeczy, ale malować jak ten twój malarz, to raczej nie będziesz.

— I wcale nie chcę. Chcę, żebyś to ty malowała. Mamy jeszcze parę podwórek do zrobienia w Poznaniu i we Wrocławiu, może potem będą inne zamówienia, ale na razie mówmy o realiach. Kolega, który to robił… No cóż, zbiesił się. A ja nie mogę mu już więcej zapłacić. Więc się rozstaliśmy. Zostałem bez artysty. Może ty zechcesz zająć jego miejsce?

Rowerów na ścianie nie chciałam malować — pomyślała — ale na swojej. Na cudzych może mogłabym spróbować.

— Musiałabym obejrzeć takie podwórko z bliska, nie tylko w Internecie — zaczęła się głośno zastanawiać.

— OK. Kiedy jedziemy?

— Jak to jedziemy? Dokąd? — zdziwiła się.

— No, tu ci raczej podwórka nie dowiozę. Zapraszam cię na wycieczkę do Wrocławia. Określ tylko termin. Możliwie bliski, proszę. Bardzo mi zależy.

I tak Ola umówiła się z przystojnym ogrodnikiem Robertem na biznesową podróż do Wrocławia.

*

Pogoda była iście spacerowa, akurat na wyprawę. Ola rozsiadła się w pięknym bmw Roberta i tylko siłą woli powstrzymywała się, żeby nie położyć nóg na desce rozdzielczej. Tak właśnie podróżowała z Marcinem, pół siedząc, pół leżąc, z nogami tuż przy przedniej szybie. Zwykle tylko po wystających stopach można się było zorientować, że Marcin nie jedzie sam. Ola uwielbiała ten sposób podróżowania, ale do tej pory tylko z Marcinem czuła się na tyle bezpiecznie, by móc pozwolić sobie na niekontrolowanie drogi i spokojną drzemkę. Bo kiedy nie spała, dowodziła z fotela pasażera, co wcale kierowcy nie przeszkadzało. Zawsze się śmiał i powtarzał, jak to dobrze, że ją ma. Inaczej nigdzie by nie trafił. No jasne — marudziła — błądziłbyś jak ten Mojżesz po pustyni przez czterdzieści lat, a o drogę byś nie spytał. Czasami się zastanawiała, za co on ją tak kochał. Przecież chyba nie za to marudzenie. A może jednak?

Ale teraz to nie Marcin prowadził, tylko Robert, i to w jego wypasionej bryce siedziała. Wcisnęła się w fotel i zastanawiała, o czym będą rozmawiać tyle czasu, przecież do Wrocławia zwykle jedzie się jakieś półtorej godziny.

— I jak się spisuje Michał? Sorry, że nie miał teraz zbyt wiele czasu, ale zlecono nam pilną robotę i pracowaliśmy do wieczora — tłumaczył go Robert.

— Nic nie szkodzi, miałam więcej czasu na zgromadzenie materiałów, a nie było mi łatwo się zdecydować. Nadal tak do końca nie wiem, czego chcę. Niby ogród w stylu japońskim... Trochę poczytałam, ale nadal niewiele o tym wiem.

— Dobra. Słuchaj, wykład specjalnie dla ciebie. Ogród japoński projektuje się zgodnie z powiedzeniem z jedenastego wieku, które mówi: ucz się od natury, lecz jej nie kopiuj. Co jest typowe dla tego ogrodu? — spojrzał na nią w oczekiwaniu odpowiedzi.

— Kamienie, woda, kamienne latarnie... — dukała.

— Pagody — uzupełnił.

— No właśnie.

— Są dwa podstawowe rodzaje ogrodów japońskich. Pierwszy to *tsukiyama* z małymi pagórkami symbolizującymi góry, stawami naśladującymi morza i jeziora. Drugi to *hiraniwa*, płaskie ogrody, w których roślinność i wodę zastępuje się specjalnie grabionymi żwirkami imitującymi zbiorniki wodne oraz kamieniami udającymi małe wyspy. Takiego chyba nie chcesz? — uśmiechnął się do Oli. — W ogrodzie azjatyckim nie ma wyraźnego rozgraniczenia pomiędzy kwietnikiem a trawnikiem. Kolory są raczej stonowane. Przeważa zieleń, gdzieniegdzie powinien znaleźć się mocniejszy akcent, na przykład przebarwiający się na czerwono klon palmowy. Jakie rośliny już kupiłaś? — przerwał swój wykład i znów spojrzał na Olę. Czuła się trochę jak dziecko przepytywane przy tablicy.

— Znalazłam fajną szkółkę po drodze do Poznania i przejrzałam ich stronę. Zamówiłam rośliny, ale chyba nie bardzo trafiłam z doborem. Zdecydowałam się na dużo ziół, bo nie umiem z nich zrezygnować, no i poszalałam z funkiami. Jeszcze jakieś trzykrotki, liliowce i rododendrony. No i już kupiłam klony palmowe... dwie różne odmiany.

— Więc można powiedzieć, że masz ogrodniczą intuicję. Za bardzo się nie pomyliłaś. Funkie są bardzo fajne i ozdobne, z liści tworzą zgrabne kępy, co pasuje do twojego zamysłu. W ogrodzie japońskim nie sadzi się wielu roślin ozdobnych z kwiatów, a roślinom kwitnącym przypisuje się znaczenie symboliczne, reprezentują one pory roku. Wiosną są to kamelie i azalie, latem trzykrotki, kosaćce. A jesienią przebarwiające się klony palmowe. I co jeszcze jest ważne? — zerknął na Olę, która słuchała go z zaciekawieniem. — Żeby przy projektowaniu zachować nieparzystą liczbę elementów i układ asymetryczny.

— A co z iglakami? — spytała, bo te w przypływie fali ogrodniczego szaleństwa, też już kupiła.

— Są mile widziane, zwłaszcza kiedy można je formować.

— Ostrzygłam już takiego jednego — pochwaliła się.

— Wiem, mam nawet jego zdjęcie. Michał mi przesłał. Sama go tak pocięłaś? Bez pomocy? — zerkał na nią, uśmiechając się kącikiem ust.

— Miałam tylko książki swojego syna na temat bonsai, kiedyś się w to bawił. Miał nawet drzewko, które formował przez dziesięć lat. Czasami o nim zapominał i formował je tylko w przypływie nudy… ale coś je zżarło. Jakiś przędziorek czy coś takiego.

— Skąd znasz takie nazwy?

— A, sama nie wiem… — bąkała pod nosem.

Za cholerę się już nie przyznam do dyplomu technika ogrodnika — pomyślała.

Nawet nie wiadomo kiedy wjechali na pierwszy most we Wrocławiu. Robert pokazał jej dwa wykonane przez jego firmę podwórka. Całą drogę przeglądała zdjęcia. To było po prostu fantastyczne. Ola nie mogła się nadziwić. Zwykłe studzienne podwórze między starymi kamienicami zamienione w bajeczną rycinę z kolorowej książki. Małe, z urokliwą kutą bramą, miało na środku fontannę. Niedużą, o średnicy troszkę ponad metr, z figurką tłustego aniołka trzymającego w ręku konewkę. Pływały w niej czerwone karasie i podobno lilie wodne. Był dopiero początek czerwca, więc na razie widać tylko nieśmiało wynurzające się czerwonawe liście. Kiedy wypłyną na powierzchnię, zmienią kolor na zielony. Fontanna była otoczona kamiennymi korytami obsadzonymi miniaturowymi iglakami. Oczywiście, podlewanie kropelkowe, automatyczne. Podwórze otulały trzy ściany nadgryzionych zębem czasu kamienic. Jedna porośnięta winobluszczem, którego młode jasnozielone listki wychylały się do słońca. To jedyna ściana, czasami muskana ciepłymi promieniami, i dlatego stworzenie tu ogrodu nie było takie proste. Dwie pozostałe pokryto kolorowymi malowidłami. Nad oknem rozwinięta markiza w biało-niebieskie pasy i domalowane stare otwarte okiennice. Też niebieskie. Pasowały do okien, one również pamiętały zamierzchłe czasy. Stanowiły zgrany duet. Nad markizą domalowano dwa okna. Piękne. Z otwartymi okiennicami, z muślinowymi firankami i z doniczkami pelargonii. Pod ścianą rower, jak prawdziwy. Ale taki retro. Oczywiście też domalowany. Przy drzwiach dwie ogromne donice z lawendą, prawdziwe. Lawenda dopiero co zaczynała kwitnąć, a już było widać, jaki urok wokół siebie roztacza. Przy trzeciej ścianie, pod namalowaną latarnią uliczną, stała najprawdziwsza, stara, stylowa ławka. Siedział na niej chętny do rozmowy staruszek. Zagadnięty zaczął chwalić ekipę, której mieszkańcy kamienic zawdzięczali tę metamorfozę, zupełnie nie rozpoznając w Robercie szefa ekipy. Mówił, że teraz całymi godzinami przesiaduje na ławeczce i że kolega z sąsiedniej ulicy chętnie go odwiedza, bo też polubił malowany ogród. Robert chłonął pochwały jak wysuszona gąbka wodę. Było widać, że sprawiało mu to olbrzymią przyjemność.

Ola nie potrafiła oderwać oczu od malowanych fasad i grubego aniołka. Lubiła aniołki… i lubiła być tak nazywana. Przez Marcina…

Drugie podwórko to była prawdziwa porażka. Nie wykonawcy, o nie. Użytkowników. Czarowny ogródek zniknął pod stertami spróchniałych desek wyrzuconych z jednego z mieszkań, pewnie przy remoncie podłóg. Tylko że te deski przeleżały tak całą zimę, niwecząc wysiłki ekipy. Malunki odrapane, donice potłuczone, po roślinach prawie nie było już śladu.

— Cholera! — Robert wyraźnie się zdenerwował. — Byłem tu jesienią i te dechy już tak leżały. Miałem nadzieję, że tylko na chwilę. Że ktoś to posprząta. Szkoda, tyle pracy i kasy.

— Oni za to płacili? Znaczy mieszkańcy? — spytała Ola ze współczuciem w głosie.

— Nie, miasto. To był projekt prowadzony przez prezydenta miasta. Może gdyby zapłacili sami, to potrafiliby to uszanować.

— Spójrz na tego starszego pana. Jaki on był szczęśliwy. Jak was wychwalał. Widać było, że naprawdę lubił to podwórko.

— I choćby tylko dla jednego gaduły... warto. Chodź, poprawimy sobie humor.

*

— I jak poprawiliście sobie humor? — Max był dziś dziwnie poruszony, czekając na pikantne szczegóły.

— Zabrał mnie do Ogrodu Japońskiego. Nawet nie wiedziałam, że we Wrocławiu taki jest. Musisz to zobaczyć.

— A potem? — spodziewał się widocznie czegoś pikantniejszego.

— Potem zjedliśmy kolację na Starym Rynku w Karczmie Lwowskiej. Kuchnia kresowa, mówię ci, pycha — rozanieliła się Ola.

— A co z twoim niejedzeniem po osiemnastej? — zaśmiał się.

— No co ty. Już drugi raz taka głupia nie byłam. Zresztą, nawet nie pytał o przyzwolenie, tylko sam zamówił. Jedliśmy cepeliny i coś tam, coś tam. Palce lizać. No i chyba się zgodziłam na współpracę — mówiąc to, kiwała głową, jakby do końca sama w to nie wierzyła.

— Znaczy co?

— Znaczy, że spróbuję z nimi pomalować. Kasa niezła, robota od czasu do czasu, na zlecenie…

— Ale ty nie możesz na urlopie zdrowotnym pracować.

— Toteż nie będę pracować.

— Nie?

— No nie. Sam pomyśl. Jak leczą w wariatkowie? No jak? — odczekała chwilę. — Terapią zajęciową, kochany. No. I to jest właśnie taka terapia.

— Ale kasę będziesz brała? — upewniał się.

— A coś ty myślał? Zwariowałam, ale głupia nie jestem.

Max roześmiał się serdecznie i podsunął jej pod nos szklaneczkę metaxy.

— Pierwszy raz słyszę, żeby płacić wariatkom za udział w terapii.

— Zwykłym nie płacą — śmiała się. — Ja jestem nadzwyczajna. W końcu wiele lat na tego świra pracowałam. To mam.

— To kiedy zaczynasz… tę terapię?

— Jeszcze nie wiem — wzruszyła ramionami. — Dadzą mi znać i wcześniej prześlą zdjęcia podwórka. Będę przygotowywać projekty w domu, a po dograniu z zespołem, malować na miejscu. — Upiła łyczek drinka i zmrużyła oczy. — Nawet się cieszę. Lubię towarzystwo Michała i Roberta, wiele się od nich uczę.

*

Tymczasem jej prywatny ogród utknął w martwym punkcie. Może nie tyle martwym, ile piaskowym. Donica do lilii kupiona, kłącze lilii, które dostała od sąsiada, czeka w wannie w pralni, płyty udające piaskowiec i te niby-stare dechy też już czekają, zmontowany hydrant stoi na środku salonu, nawet nieźle się komponuje. Niepotrzebne drewno z poległej ogrodowej architektury, równo pocięte, grzecznie leży ułożone w rogu ogródka. Tylko odmalowany i na nowo zmontowany płot prezentuje się okazale. Dzięki uprzejmości sąsiada, a właściwie przez dziurę, którą proponował pozostawić, by uprościć przenoszenie materiałów, do ogrodu włażą teraz psy. Sąsiedzkie. Koty też, ale one i tak właziły, można by powiedzieć... na bezczelnego. Od zawsze wskakiwały na murek tarasu, przeciągały się, stawały przed drzwiami tarasowymi i patrzyły przez szybę, co się dzieje w salonie. I nie byłoby w tym nic dziwnego, koty przecież zawsze łażą własnymi ścieżkami, gdyby Ola nie miała psa, jamnika. Na widok kotów Figa dostawała furii. Szczekała jak szalona tak długo, jak długo drzwi były zamknięte. Kiedy tylko Ola je otwierała, Figa nagle ślepła. Tak można by pomyśleć, bo nagle traciła zainteresowanie kotem i wracała na swoje legowisko za starym bufetem. Większość czasu Figa spędzała w domu mamy Olki, przez co dziewczyna Tytusa uznała, że to pies widmo. Niby jest, a jednak go nie ma.

I tak ogród przekształcił się w zwierzyniec. Oli to specjalnie nie przeszkadzało, i tak nie schodziła na tę osiedlową saharę, ale psy miały niezły ubaw, rozrabiając w tym piachu, co — niestety — powodowało prawdziwe burze piaskowe. Kurz wzbijał się wysoko i Olka, która demonem porządków nie była, musiała albo często sprzątać salon, albo zrezygnować z otwierania drzwi na taras. A przyzwyczaiła się, że te drzwi były otwarte od wiosny do jesieni, więc lekko się już niecierpliwiła.

*

— Oj, przepraszam cię, Max, za spóźnienie, ale rada nieco się przeciągnęła. — Dorota usiadła na podstawionym przez Maxa krześle. — Olka to ma dobrze, mija ją ten cały cyrk z zakończeniem roku. Jak sobie radzi?

— Całkiem nieźle. Zawsze potrafiła się zorganizować i całe szczęście, że wpadła na ten pomysł z ogrodem. — Max na serio martwił się o przyjaciółkę.

— Jakim ogrodem? — zainteresowała się Dorota.

— No, swoim. Ma za domem kawałeczek zieleni, który ostatnio już właził jej do domu. Ten facet, z którym się na chwilę związała, nie potrafił zająć się domem, mieszkał w bloku. Syn Oli zawsze powtarzał, że życie w bloku w pewnym stopniu upośledza emocje. I chyba specjalnie się nie mylił.

— Nie mów tak. Ja mieszkam w bloku. I do tego ciągle z rodzicami. A czemu Tyci tak gadał? — Ciekawość Doroty już nikogo nie dziwiła.

— Na drugim czy na trzecim roku studiów przez pewien czas mieszkał z dwoma kolegami w bloku.

Ola o mało nie dostała zawału, kiedy pocztą przyszło wezwanie do sądu w związku z zakłócaniem ciszy nocnej. Znaczy, nie przez nią, tylko przez Tytusa. Jednak wezwanie przyszło na adres domowy. Odchodziła od zmysłów, bo nie wiedziała, o co chodzi. Nigdy nie miała z nim kłopotów, no może wtedy, jak brykał z lekcji w liceum. Ale każdy brykał, taka to była klasa, językowa. Dzieciaki miały za dużo zajęć i same sobie dawkowały wysiłek. Mądry dyrektor nie robił z tego afery, ale niektórzy nauczyciele i owszem. Aż tu nagle... masz. — Max pamiętał przerażenie Olki. Przez swoje czarnowidztwo ze wszystkiego potrafiła zrobić katastrofę, nakręciła się tak, że Tyci nie dał rady jej wyjaśnić, że to tylko jakaś bzdura. Wtedy sytuację uratował Marcin, pogadał z przyjacielem prawnikiem i okazało się, że to tylko zwykła złośliwość sąsiadów, która skończy się mandatem. Po prostu sąsiedzi nie mogli znieść tego, że właściciel mieszkania zarabia na wynajmie, sam mieszka w pięknym domu na obrzeżach Poznania, i przyjęli sobie za punkt honoru zatruć mu życie. A przynajmniej nie pozwolić, żeby za ścianą mieszkali studenci. No ale panika była. Ola widziała już małego w więzieniu — zaśmiał się na samo wspomnienie jej lamentów. — Ale, ale, co zamówimy?

— Byle było słodkie i... — zaczęła.

— I z dużą ilością bitej śmietany — dokończył.

— Dużo wiesz o życiu Oli — zdziwiła się Dorota — i widzę, że o moim też — spojrzała spod perfekcyjnie wytuszowanych rzęs. — Długo się znacie z Olą?

— Jeszcze z podstawówki, ale od kilkunastu lat mieszkamy sto metrów od siebie. To jesteśmy już prawie jak dwie psiapsiółki. Wiemy o sobie dużo, może nie wszystko, ale jednak… dużo. I właśnie dlatego cię tak ścigałem, chciałem cię o coś poprosić.

*

(Nowa wiadomość).
Mam dziś chandrę. Nie wiem czemu, przecież nic złego się nie stało, nic mnie nie boli, niczego mi nie brakuje. Dostałam nawet niezłą ofertę pracy. Więc czemu tak się czuję? No tak. Ale Ty nic nie wiesz. Lekko ścięłam się z jednym nauczycielem z mojej szkoły, siadły mi nerwy i jestem na zwolnieniu lekarskim. Potem wybieram się na roczny urlop dla poratowania zdrowia, a właściwie to lekarz mnie tam wysyła. Nie wiem, skąd mu przyszło do głowy, że muszę się powstrzymać od pracy, przecież nic mi nie jest. Na urlopie nie wolno mi pracować, ale malować... jak najbardziej. Szef chłopaka, który remontuje mój ogród, zaproponował mi współpracę. Mam malować w kwiatki, bratki i stokrotki (żart) fasady starych budynków, gdzie jego firma będzie usiłowała robić coś na wzór ogrodów. Widziałam efekty... zatkało mnie. Boję się, że nie dam rady, ale chciałabym to robić. Nie tylko dla kasy. Rozmawiałam w takim ogródku z pewnym staruszkiem, był zachwycony. Całe dnie spędza teraz na podwórku. Miło mieć poczucie, że komuś sprawiło się radość. No i może dzięki temu nie zbzikuję do reszty, bo chyba jestem już tuż-tuż. Martwię się tylko, bo nigdy nie malowałam graffiti. Może wymyślę coś swojego? Lubię wyzwania, wiesz o tym. Jasne, że wiesz. Całe moje życie to wyzwanie. Brakuje mi Ciebie, Marcin.
(Wiadomość zapisano w kopiach roboczych).

Olka się zamyśliła. Po cholerę ja to piszę, przecież i tak nigdy mu tego nie wyślę. Ale psychiatra, zresztą okazało się, że miły facet, znany z widzenia, starał się wyciągnąć od niej najtajniejsze odczucia i kiedy widział, że Oli idzie to opornie, podpowiedział pisanie pamiętnika albo notowanie swoich emocji. Twierdził, że powinna o nich komuś powiedzieć, jeśli nie ma przyjaciółki, to może jemu. No pewnie — pomyślała. — I ilekroć spotkam gdzieś faceta, to chowam głowę w piasek, jak ten struś. Uznała więc, że rodzajem zwierzeń mogą być jej niewysyłane maile. Marcinowi mogła powiedzieć wszystko, nigdy jej nie oceniał. No a teraz nawet nie będzie tego czytał. I o to chodzi.

Coś nareszcie się ruszyło na jej własnej saharze. Powstała wyspa. Z niby-piaskowca i niby-dech okrętowych. Wyszło genialnie. Płyty zostały bardzo fachowo ułożone na mieszance suchego cementu i piachu (jest go w końcu od cholery) i Ola dostała bojowe zadanie podlewania owej wyspy na oceanie piachu, możliwie jak najczęściej. Przez trzy dni. Co najmniej! I tak oto Ola zamieszkała w ogródku. Właśnie do domu wrócił Tytus i pękał ze śmiechu, widząc ją, jak nie rozstaje się z wężem ogrodowym i nie pozwala wyschnąć płytom. Zaczęły też przychodzić zamawiane przez Internet techniczne elementy ogrodu, a że Ola lubiła wydawać pieniądze przy komputerze, to prawie zaprzyjaźniła się z kurierami. Maxowi omal nie wypadła z ręki butelka złocistego płynu, kiedy posłyszał rozmowę Oli przez telefon.

— Dzień dobry, pani Olu. Kurier Maciej się kłania.

— Witam, panie Macieju!

— Jest pani w domu?

— Strasznie żałuję, ale nie.

— To co, w krzakach czy u sąsiadki? — padło bardzo konkretne pytanie.

— Może lepiej będzie w krzakach.

— OK. Postaram się, żeby nikt niczego nie zobaczył.

— Bardzo pan miły, panie Macieju, dziękuję i do zobaczenia.

Max miał oczy jak pięć złotych z czasów komuny (te z rybakiem, były większe) i zaniemówił.

— No, co? — spytała jakby nigdy nic. — Gdzieś muszą mi te towary zostawiać, przecież nie będę warowała w domu jak ten pies.

Okazało się, że tuje przed domem są doskonałym schowkiem dla kurierów, nawet jeśli trzeba ukryć pod nimi sto metrów linii kroplującej (z końcówkami).

Do zakupów przez Internet namówił, a właściwie zmusił, Olkę Tytus, który widział, jak ganiała po mieście jak głupia i szukała farb do jedwabiu, szkła i innych dość specyficznych produktów albo wręcz wypuszczała się po nie do Poznania i Wrocławia z może nieco lepszym skutkiem, ale z językiem do pasa. Zmachała się, zmarnowała masę czasu, a i tak przeważnie nie zdołała kupić tego, co chciała.

— Oluś, dlaczego tak się boisz zakupów w sieci? — Tyci przez całe życie mówił Oli po imieniu. Tak postanowił kiedyś jego „nowoczesny" tato i tak zostało. Nowoczesny tato-kumpel zniknął w końcu z ich życia, a „mama Ola" została. Czasami jednak Tyciemu wypsnęło się to „mamuś" i wtedy Ola była zaskoczona i nie wiedziała, do kogo jej syn się zwraca. Jednak od dawna nikogo już nie dziwiło, gdy mówił: „moja Ola", opowiadając jakieś historyjki z życia ich domu.

— Boję się, że coś kliknę niepotrzebnie i będę musiała kupić cały sklep — martwiła się poważnie. Jej pokolenie nie wzrastało z komputerem, tylko grało w klasy, jeździło na łyżwach na wylewanych zimą lodowiskach (zimy też były jakieś takie solidniejsze i w terminach takich jak kalendarz nakazuje), trochę się więc tego cyfrowego ustrojstwa bała. Jednak Tyci założył jej konta w kilku sklepach internetowych dla artystów i sam dokonywał zakupów. Ola tylko wpłacała pieniądze w banku (internetowego konta bankowego też się bała) i odbierała przesyłki. Czasami w krzakach. Jednak powoli nabierała pewności w obcowaniu z komputerem i po jakimś czasie nie wychodziła do miasta po zakupy bez uprzedniego przeszukania Internetu. I zwykle się na tym kończyło. Przesyłki przychodziły więc stadami. Niektóre mieściły się w słusznych rozmiarów skrzynce na listy (uprzednio koniecznie trzeba podpisać zezwolenie na pozostawianie przesyłek), inne lądowały u życzliwych sąsiadów albo w krzakach. No i oczywiście już nie wystawała w tasiemcowatych kolejkach do okienka, żeby sfrustrowanej pani wpłacić pieniądze. Jakie życie stało się proste. Oczywiście, czasami tak zamotała się w tym śmiałym użytkowaniu komputera, że musiała prosić syna o pomoc.

— Tyci — mówiła wtedy — zajrzyj proszę do mojej skrzynki pocztowej, bo coś chyba mi się kliknęło nie tam gdzie trzeba i wiadomości nieprzeczytane mam pomieszane z przeczytanymi. Istny bajzel.

— Jasne, o nic się nie martw. Hasła, rozumiem, nie zmieniałaś?

— A pamiętasz, żebyś to robił? — zaśmiała się. — Dopiero bym narozrabiała.

I tak pogotowie informatyczne działało nawet na odległość. Tytus był synem, jakiego sobie wymarzyła. Kiedyś, na letnich koloniach, zakochała się w pewnym Witku z Warszawy. Luzackim blondynie z długimi włosami. Miała wtedy piętnaście lat. Od tego czasu, tak właśnie wyobrażała sobie swojego własnego syna. O takiego właśnie prosiła los. I zawsze powtarzała, że jedno, co jej się w życiu udało, to dziecko. Tyci nie był jednak ideałem, niestety. Kiedy wchodziła do jego pokoju, często wyrzucała sobie, że nie poprosiła o pakiet. No właśnie. Tyci miał być blondynem — jest. Miał mieć długie włosy — ma. Miał być bystry i inteligentny (jeśli to nie to samo) — i taki właśnie jest. Miał uprawiać różne sporty: pływanie, siatkówkę, jazdę na łyżwach, nartach, windsurfing, wspinaczkę (w kolejności narodzin kolejnej pasji lub — jak kto woli — szajby) — uprawia, we wszystkim jest świetny, w niczym wybitny. Miał być łobuzerski (nie mylić z łobuzem) — jest. Oczytany — czyta. Lubiany — tylko po ilości glanów przed drewnianymi schodami na górę można się było zorientować, ile dzieciaków przebywało właśnie w tej swego rodzaju świetlicy osiedlowej (czyli w pokoju Tytusa). Miał się dobrze uczyć — i to się udało. Tylko, cholera, czemu nie pomyślałam o sprzątaniu! Większego bałaganiarza święta ziemia nie nosiła — wiecznie narzekała — a podobno ja w dzieciństwie też byłam w tym niezła.

Pokój Tytusa tylko wtedy wyglądał jak trzeba, gdy posprzątała go Olka. On zawsze jej za to dziękował, ale pod koniec dnia wnętrze wyglądało już dokładnie tak, jak przed porządkami. Tak miał i nie potrafiła tego zmienić. Już nawet nie próbowała. Widocznie nie można mieć wszystkiego.

*

Nieoczekiwanie przyszło zlecenie. Kiedy wieczorem sprawdzała pocztę, znalazła maila o temacie: „Malowane ogrody". Nadawca nie był jej znany, ale adres kojarzył się jednoznacznie z ogrodami. W treści tylko: „Wydrukuj to i oglądaj. Zadzwonię". W załącznikach zdjęcia ponurego podwórka. I znów trzy odrapane ściany, dwa kubły na śmieci i druciany płot. Zero roślin. I zrób z tego podwórko. Ale to nie jej problem. Z tym będzie się bujał Robert, ona ma tylko wymyślić motyw przewodni. Nosiła więc te wydruki przy sobie, zerkała na nie raz po raz, ale nic nie przychodziło jej do głowy.

— Max, zobacz — podetknęła mu pod nos zdjęcia. — Na co byś to podwórko przerobił?

— Na francuską kafejkę — odpalił bez namysłu. Ten obraz przyszedł mu na myśl zapewne pod wpływem odbytej dwa lata temu podróży do Paryża. Od tego czasu często słuchał francuskiej muzyki, zachwycał się klimatem paryskich uliczek, przeglądał gigabajty pstrykniętych zdjęć.

— Bardzo śmieszne — prychnęła. Znała jego stosunek do Paryża.

— No to po co mnie o to pytasz? Nie jestem zbyt kreatywny, a już na pewno jeśli chodzi o ogródki. Sama wiesz najlepiej.

No, tak — pomyślała — to, co Max ma za domem, woła o pomstę do nieba. Niby wszystko uporządkowane, trawnik (jeśli tak można to coś nazwać) skoszony, ale te krzewy, którymi chciał osłonić dom przed sąsiadami, wyglądają żałośnie na tle drucianego płotu. Zwłaszcza że sąsiedzi sami osłonili się drewnianymi panelami od ogrodu Maxa. I nie dziwota. Rzeczywiście, ekspertem ogrodowym to on nie jest.

Za to taras Maxa to zupełnie inna bajka. Ogromny, otoczony wysokim drewnianym płotem porośniętym winobluszczem, przez większą część dnia skąpany w słońcu aż prosił się o stworzenie romantycznego klimatu. Przy drzwiach kute ze stali (kupione na szperach) krzesła i stół, otulone światłem słonecznym przepuszczonym przez płócienną markizę w kolorze słoneczników. Lampiony na wysokich stelażach i klosze szklane porozstawiane po całym tarasie dawały o zmierzchu cudowne światło. Czasami Olce udawało się posiedzieć w tym niedorobionym francuskim klimacie, szczególnie kiedy po drugiej szklaneczce metaxy nie chciało jej się wracać do pustego domu. Brakowało jej na tarasie Maxa pojemników z kwiatami, ale to wykraczało poza jego możliwości. Czasami w przypływie pijackiej życzliwości obiecywała mu posadzić parę roślin, lecz zwykle po wyleczeniu się z kaca zamysł znikał. Choć razu pewnego spełniła obietnicę i przytargała donicę z fioletowymi surfiniami, różowymi pelargoniami i białą bakopą. Wyglądało to wszystko cudnie, niestety, tylko trzy dni. Potem Max zapomniał podlać i nie było już specjalnie co ratować. Ale sącząca się cicha muzyczka, winobluszcz broniący dostępu sąsiedzkim oczom sprawiały, że taras był ostoją spokoju i romantyzmu. Może. Jednak kilku szczegółów brakowało.

— Tytus, na co przerobiłbyś to podwórko? — Drugie podejście.

Tyci zmrużył oczy, podrapał się po głowie i wzruszył ramionami.

— Czy ja wiem, może na plac zabaw… nie wiem.

Matko kochana — Olka spanikowała — na plac zabaw? Chyba nic się jeszcze nie szykuje? Nie chcę jeszcze być babcią. Jeszcze mam czas! Jeszcze nie utyłam, jeszcze się nie pomarszczyłam, no i do emerytury jeszcze daleko.

— Coś się tak wystraszyła? Oluś, nic się nie kroi. Spokojna twoja rozczochrana — pogładził ją po włosach i pocałował w policzek. Nie krył się z okazywaniem uczuć i nigdy się tego nie wstydził. Cmokał ją nawet przy kumplach, nie bacząc, co mogą sobie o nim pomyśleć. A chyba nie myśleli źle. Zazdrościli mu kontaktu z Olą. Pozwalała mu na wiele, ale wiedziała, że może liczyć na jego rozsądek. No, może nie za każdym razem. Jednak zawsze mówili sobie prawdę, nawet, jeśli nie była zbyt wygodna. Ola, wychowana w czasach, kiedy nie mówiło się dzieciom, że się je kocha (po prostu się je kochało), powtarzała to Tyciemu bardzo często. On też nie wstydził się powiedzieć jej, że ją kocha, nawet kiedy obok stali kumple. Był pod tym względem inny niż większość jego kolegów, a oni go za to szanowali. Ola często mu powtarzała, żeby pamiętał, że kiedyś może nie zdążyć powiedzieć komuś, na kim mu zależy, co do niego czuje. Tak było z jej ojcem.

Ola kochała swojego tatę najbardziej na świecie. On od dziecka widział w niej artystkę, wspierał we wszelkich działaniach, czy gdy szyła ubranka dla lalki, czy gdy rysowała historyjki z gumy do żucia. Może dlatego była córeczką tatusia, że miała wyłącznie braci? A może dlatego, że — najmłodsza — wciąż wdrapywała mu się na kolana i wisiała u szyi. Kochał ją, wiedziała to, lecz nigdy jej tego nie powiedział. Ola natomiast powiedziała mu to, dopiero kiedy umierał.

I cały czas bała się, że już tego nie usłyszał. Dlatego ciągle powtarzała synowi: „Jeśli kochasz, to mów o tym, bo możesz nie zdążyć".

— Dorota, na co przerobiłabyś to podwórko? — Ola umówiła się z koleżanką, bo chciała się dowiedzieć, jak wyglądało zakończenie roku szkolnego. Bez niej. Co prawda dostała zaproszenie, ale jakoś niezręcznie jej było pójść i spojrzeć w oczy księdzu, który nawet nie poskarżył się dyrekcji. Wolałaby, żeby się obruszył, rozzłościł albo co. A on nic. Stał jak słup i czekał nie wiadomo na co. Może na drugi policzek? Czasami zastanawiała się, czy nie przegapiła okazji.

— A czy to się da na coś przerobić? — Dorota oglądała zdjęcia. — Nie wiem, może trzeba odnowić elewację, pomalować ten płot, ustawić gdzieś te kubły. A co, przeprowadzasz się?

— Chyba żartujesz. Szukam pomysłu na to podwórko. Może będę współpracować przy tym projekcie z obłędnym facetem. A nawet z kilkoma. Ale tych innych jeszcze nie widziałam.

— E, coś ty. A dla mnie też się coś znajdzie? — zapytała z błyskiem w oku. Dorotka, ciągle panienka, czasami wydawała się już zniecierpliwiona wiecznym poszukiwaniem kogoś do pary. Ale była raczej wybredna. Radosna, więc nie szukała ponuraka, wykształcona, więc chciała faceta niegłupiego. Zadbana, wycacana, nie zadowoliłaby się facetem o mentalności i wyglądzie parobka, nawet jakby podjechał superbryką. Dorota wiedziała, czego chce. I pewnie dlatego ciągle była sama. Randkowała co prawda przez Internet, ale zwykle okazywało się, że facet podający się za wykształconego i oczytanego w jednym zdaniu potrafił zrobić pięć błędów ortograficznych i jeszcze ze dwa stylistyczne. Albo przedsiębiorca okazywał się emerytem lub rencistą, któremu już nie chciało się pracować. No a standardem było, że ci przystojni to zwykle niepozbierane dziwolągi. Po tych doświadczeniach przeszła wprawdzie do portalu, gdzie obowiązkowe było zamieszczenie zdjęcia, ale jaka pewność, że ktoś nie wykorzystał w swoim profilu zdjęcia przystojnego kolegi?

I tyle pomocy Doroty. Pomalować ściany, schować kubły. Ani słowa o ozdobach i roślinach. Zatwardziała pragmatyczka. Wszystko musiało się jej zgadzać, prawa strona równać się z lewą, jak to w matematyce. A gdzie romantyzm? Gdzie tęsknota za miłością? — Olka westchnęła ciężko. — Chyba przyjdzie mi się z tym zmierzyć jednoosobowo.

(Nowa wiadomość).

Dostałam wczoraj pierwsze zlecenie. Podwórko na starym mieście w Poznaniu. Odrapane ściany, poprzewracane kubły na śmieci, zero zieleni. Straszna brzydota. Cholera, chyba nic z tego nie będzie. Nie dam rady nic wymyślić. Noszę z sobą od wczoraj zdjęcia tego podwórka, oglądam, wypytuję różnych ludzi o ich pomysły. Ale przynajmniej mam o czym dumać. Tym bardziej że koniec roku szkolnego beze mnie jednak się odbył. Beze mnie! Straszne. Myślałam, że jestem tam potrzebna... Co prawda dostałam zaproszenie, ale chyba jeszcze nie jestem gotowa. Dorota mówiła, że ksiądz zachowywał się dziwnie. Przyszedł w cywilu, bez koloratki i wyglądał jak każdy inny nauczyciel. Tyle tylko że bez krawata. Pewnie żadnego nie ma. W końcu wiecznie łaził w tej sukience. Na koniec pożegnalnej kawy serdecznie się ze wszystkimi obściskiwał. Oprócz

Mariolki, Dorota ich obserwowała. Mariola unikała jego wzroku, choć on wciąż do niej zagadywał. Przez wakacje odpocznie od niego, wyraźnie było widać, że ma go serdecznie dość. Ale co tam. Wreszcie mają wakacje. Ja zresztą też. Co mam zrobić z tym projektem? Ty pewnie byś mi podpowiedział, bo Twoje absurdalne pomysły po przeróbce w końcu bywały trafione. Tak, jak te niby-dechy... aha, nic o nich nie wiesz. Nie Ty je wybrałeś, ale idę o zakład, że gdybyś miał sposobność, to właśnie na nie by padło. Kiedyś Ci o nich opowiem, Marcin...

(Wiadomość zapisano w kopiach roboczych).

*

Olka umówiła się z Robertem w tym samym miejscu co poprzednio. Mieli spotkać się wieczorem, więc było jeszcze dość czasu, żeby pomyśleć o projekcie. Rozłożyła zdjęcia w kilku miejscach, włączyła muzykę i zabrała się do sprzątania domu. Zawsze to robiła, gdy chciała odwlec jakieś zadanie. W dzieciństwie to był jedyny moment, kiedy Ola bez ponaglania ze strony mamy zabierała się do porządków. No bo przecież już lepiej sprzątać, niż się uczyć. Zwłaszcza matmy i innych takich. Posprzątany pokój był zawsze oznaką, że wisi nad jej głową jakaś klasówka czy inne paskudztwo.

I oto znów szalała z mopem, w tle sączyła się muzyka. Teraz kolej na łazienkę. Kiedy i łazienka lśniła, zabrała się do depilowania pach, ramion, nóg i wszystkiego, na co osmyknął się depilator. A niech tam! Może się przyda — pomyślała. Potem maseczka, szybka kąpiel. Po cholerę ja to robię? Oszalałam czy co? Tak się pindrzyć dla o tyle młodszego faceta? Który pewnie i tak nie jest zainteresowany? — Ola spojrzała w lustro. A co tam. Jak już zaczęłam, to skończę. I nie dla faceta, tylko dla siebie — mówiła, ale sama sobie nie wierzyła.

— Cholera, Max. Za dwie godziny spotykam się z Robertem i nie mam żadnego pomysłu. Żadnego! Kompletne zero — stała zrezygnowana na środku kuchni, ze zdjęciem podwórka w dłoni.

— No jak to? A francuska kawiarenka? — mówiąc to, Max zmienił płytę i do pokoju cicho wpełzła delikatna muzyka francuskiej uliczki. Akordeon odzywał się wysokimi tonami i roztaczał urok leniwego francuskiego popołudnia. — Zobacz — wziął do ręki ołówek, z którym Ola nie rozstawała się od kilku dni, a jedynym efektem jej rozmyślań była ogryziona końcówka — na tej ścianie domalujesz okno kawiarni, oczywiście otoczone ozdobnymi cegłami. Tu muszą być drzwi z ozdobami z frezowanego kamienia. Nad oknem koniecznie markiza w biało-niebieskie pasy — gryzmolił na wydrukowanych zdjęciach, stojąc przy stole.

— Niebieskie? — próbowała coś wtrącić zza jego pleców.

— Słuchaj, skrytykujesz później. Pod oknem postawisz, znaczy domalujesz, kute krzesełka i stolik. Możesz ściągnąć z mojego tarasu. Na stole biały, gładki obrus, który nie zakrywa całości blatu, i na tym bordowa serwetka. Drewniane elementy pomaluj na niebiesko, raczej tak na modro, a elewację koniecznie zrób na piaskowiec. Wiesz, jak wygląda. I zadbaj o duperele, wiesz... latarenki, kieliszki, menu wystawione przed kawiarnią, napisane kredą na czarnej tabliczce, pamiętaj o nazwie kawiarni. No i możesz domalować jakieś rośliny, jeśli nie da się posadzić prawdziwych, przecież w końcu ma to być ogród. — Max patrzył z przekrzywioną głową, wyraźnie zadowolony ze swojego dzieła.

— I co? I już? — stała za nim i ogryzała paznokieć. Gdy się denerwowała, musiała coś gryźć albo drapać, a Max zawłaszczył jej ołówek.

— Ola, do cholery! To twój projekt! Kombinuj — oddał jej pogryzmolone zdjęcie.

— Najpierw nalej mi, proszę, szklaneczkę — westchnęła i klapnęła na krzesło.

— A twoja randka?

— Jaka znowu randka? To żadna randka, tylko spotkanie w interesach. I ty mnie na nie zawieziesz. Poświęć się dla przyjaźni.

— No jasne — zaśmiał się i podał jej szkło. — Tylko się nie urżnij, bo będziesz za łatwa.

— Też mi coś! — wzruszyła ramionami.

Popijając drobnymi łyczkami metaxę, myślała nerwowo, co pokaże Robertowi. Przecież nie ten niedorzeczny pomysł z paryską kawiarnią.

Jakoś to będzie — pomyślała. Zaczynam się spinać, jakbym szła na egzamin. Zgłupiałam czy co?

Robert już czekał. Zdziwił się, kiedy wysiadła z obcego auta i pożegnała się dość wylewnie z Maxem. Nie krył zdziwienia, kiedy się witali.

— To mój sąsiad i najlepszy kumpel — wyjaśniła, wskazując na odjeżdżający samochód. — Przywiózł mnie, bo w przypływie niemocy artystycznej musiałam się napić. A nie mam zwyczaju jeździć po pijaku — tłumaczyła się jak uczeń przed nauczycielem z braku zadania domowego. A zadania, faktycznie, nie odrobiła.

— To fajnie, będziesz mogła spokojnie kontynuować. Nawet wolę cię taką luzacką — zaśmiał się. — To co, kolacyjka? Co prawda jest już po osiemnastej... — mrugnął do niej — ale chyba coś zjemy.

— Dziś bardzo chętnie — szła za nim do stolika, ściskając w ręku swoje gryzmoły. Tym razem nie będzie się zgrywała na zwolenniczkę zdrowego trybu życia i z ochotą przystała na propozycję mięsnych rozmaitości z grilla.

— I poproszę jeszcze metaxę — zwrócił się do odchodzącego z zamówieniem kelnera.

— Będziesz pił? — spytała zaniepokojona.

— Nie, ty będziesz.

— Skąd wiesz, co lubię? — uśmiechnęła się pod nosem i zmrużyła oczy.

— Wiem znacznie więcej.

Oj, niedobrze — pomyślała Olka. Przecież przy Michale nie piłam, nie opowiadałam mu też o swoich upodobaniach. Nie mamy innych wspólnych znajomych, więc co jest grane? Nieważne. Dziś Robert znów wyglądał uroczo. Lniana koszula szlachetnie wygnieciona, jasne dżinsy i skórzane, sportowe buty. Ma facet gust. No tak. Jednak w moim przypadku nie zawsze to dobrze wróży — uśmiechnęła się do własnych myśli.

Kolacja była wyśmienita. Rozmawiali o wszystkim: o szkole, ogrodach, malarstwie, dzieciach. Okazało się, że Robert ma nieślubną córkę, którą bardzo kocha, ale — niestety — jej mama wybrała kogoś innego i wyjechała z Zuzią za granicę. Zuzia ma teraz siedem lat, a swojego ojca widuje tylko kiedy kapryśna mama na to pozwoli. Tak bywa. Przy drugiej szklaneczce Robert zapytał:

— Myślałaś już o projekcie? Bo zdjęcia, widzę, wydrukowałaś — spojrzał na kartki.

— Myślałam, ale jakoś ciężko mi to idzie. Miałam nadzieje, że wpadnę na coś w ciągu dnia i dlatego wszędzie rozkładałam fotki, obawiam się jednak, że na próżno.

— A to? — spytał, wskazując gryzmoły.

— A to — zmieszała się — to taki głupi pomysł z paryską kawiarenką.

— Pokaż — wziął do ręki wypociny Maxa i zaczął się uważnie przyglądać. — Opowiedz — zachęcił ją.

— Wiesz, na frontowej ścianie, która jest pusta, można by namalować drzwi i okno maleńkiej kawiarenki ze stolikiem na zewnątrz — zaczęła uszczegóławiać projekt Maxa, a Robert słuchał z coraz większym zainteresowaniem. Może to alkohol, może urok wieczoru sprawił, że Olka rozgadała się na dobre. Nie pominęła latarenek, kieliszków i nazwy kawiarni. Nagle projekt Maxa wydał się jej genialny, a niebieskiego koloru nie mógł już zastąpić żaden inny.

— Niebieski? — Robert lekko się zdziwił.

— Niebieski. Jak chcesz, przygotuję ci to w kolorach. Kolor piaskowca i zimny niebieski w połączeniu z zielenią będzie wyglądał genialnie — coraz bardziej przekonywała się do tego pomysłu.

— Masz inne spojrzenie niż twój poprzednik. On tak nie szarżował z kolorami.

Max, a niech cię szlag! — zaklęła w duchu.

— Ale bardzo mi się to podoba — kontynuował — i musimy spróbować. Jeśli ci to nie sprawi kłopotu, zrób mi to, proszę, w kolorach, będzie mi łatwiej dokomponować zieleń. No i znów będę mógł się z tobą spotkać — uśmiechnął się do niej.

— No nie wiem — wydęła wargi. — Jak tak dalej pójdzie, to utyję jak balon i też będziecie mnie mogli pomalować. Powierzchni będzie aż nadto.

— Nie musimy przecież zawsze jeść kolacji.

— O! I to jest dobry pomysł.

Nie chciało się jej jeszcze wracać do domu, wieczór był ciepły i pachnący kwiatami czarnego bzu. Gospodarz pozapalał na tarasie lampiony i światła w otaczającym gospodę ogrodzie. Widok był bajeczny.

— Może się przespacerujemy po ogrodzie? — zapytał Robert i nie czekając na odpowiedź, wziął Olkę za rękę i lekko pociągnął do siebie.

Zachowuję się jak prowincjonalna gęś — pomyślała, ledwo zdążyła schować cenne projekty do torby przewieszonej przez ramię, i poszła za Robertem. Zresztą nie miała wyboru... trzymał ją za rękę. Szli oświetloną mdłymi światełkami alejką, prowadzącą pod bramę zamkniętego już centrum ogrodniczego. Mijali rozłożyste krzewy, płożące się róże ogrodowe i inne nieznane Oli drzewa.

Robert zaczął mówić o pachnącym bzem wieczorze, o piwoniach, o jaśminach... i nie wiadomo jak i kiedy zaczął całować jej dłoń uwięzioną w jego dłoni.

O matko kochana — Oli nogi ugięły się w kolanach — co jest grane? I nie żeby nie było jej miło, ale już dawno przestała myśleć, że jeszcze kiedyś będzie stała na miękkich nogach. Nie miała siły protestować i nawet nie chciała. Ciepłe usta Roberta muskały jej dłoń, ramię, szyję... Nagle znieruchomiała. Co ja robię? Oszalałam?

— Nie broń się — szepnął jej do ucha, muskając językiem jego płatek, a ciarki przeszły ją od stóp do głów. A właściwie skumulowały się w okolicy brzucha. O rany! Dawno nikt mnie tak nie całował. — Stała przytrzymywana przez silne ramiona Roberta i zupełnie zapomniała o różnicy wieku, o interesach, o załamaniu nerwowym, o bożym świecie. Czuła tylko ciepło jego ust i zapach kwiatów czarnego bzu.

— Robert, ja nie mogę. Ja muszę... — zaczęła mu się lekko wymykać.

— Co musisz? — nie chciał jej puścić.

— Siku! — już dreptała w miejscu. I pomyśleć, że opamiętanie przyniosła uczynna fizjologia. A może to nadmiar metaxy? Kto to wie. Ważne, że na czas.

*

W ogrodzie Olki wrzało. Michał z Kubą uwijali się jak w ukropie, bo i temperatura była słuszna. Już na początku czerwca zrobiło się słonecznie i ciepło, ale teraz było już po prostu gorąco. Wokół kamiennej wyspy wzbijały się tumany kurzu, chłopaki chcieli uwinąć się z robotą szybko, bo kolejne zlecenia czekały. Ola zażarcie dyskutowała na temat wyższości układania linii kroplującej na włókninie nad układaniem jej pod spodem, od czego Michał ją usilnie odwodził. I oczywiście miał rację, ale Ola naczytała się różnych publikacji i musieli ją przekonywać. Było ciężko, aż Michał wykręcił numer Roberta i poprosił:

— Szefie, niech szef przekona panią Olę, że nawadnianie powinno być pod włókniną. Upiera się, że chce na wierzchu.

Ola, absolutnie zaskoczona, słuchała, co mówi do niej Robert.

— Olu, słuchaj Michała. On to zrobi dobrze, uwierz mi. Jest praktykiem i wie, co mówi. A skoro już cię mam na linii, to jak tam twój paryski obrazek?

— Prawie gotowy — Oli zrobiło się gorąco i zalała się rumieńcem na wspomnienie tamtego wieczoru. — Zadzwonię, jak skończę — obiecała. Właściwie to nawet dobrze, że Michał tak nagle zadzwonił do Roberta, bo ona sama nie mogła się na to zdobyć. Głupio jej było, kiedy wróciła z toalety, a Robert czekał na nią przy aucie i się uśmiechał.

— Toś mi się wywinęła. Ale co ma wisieć, nie utonie. Wsiadaj, odwiozę cię do domu.

Dobrze, że tę rozmowę ma już za sobą.

I tak nawadnianie wylądowało pod włókniną. Drut, który kupiła w zaprzyjaźnionym sklepie z narzędziami, przydał się do umocowania węża do nawadniania, a nie jak pierwotnie zamierzała, do agrowłókniny. Ale potrzebny jednak był. Jeszcze rośliny. Wszystko, co kupiła, musiała teraz rozplanować wokół kamiennej wyspy, ale tu nie było wielkich niespodzianek, bo nie zamierzała kłócić się z Michałem. I tak zawsze on miał rację.

Kuba przeniósł wreszcie hydrant z salonu do ogrodu i ustawił go na skraju wyspy z niby-piaskowca. Zamontował. Działa. Olka co chwilę chodziła odkręcać wodę. Leci.

Obok stanęło oczko wodne w niby-kamiennej donicy. Na powierzchni pływały już pierwsze liście upragnionej lilii, a Ola, wiecznie grzebiąc w wodzie jak małe dziecko, policzyła, że do powierzchni zmierzają cztery pąki kwiatowe. Cztery! Już od kilku dni codziennie to sprawdzała.

Wzdłuż prawego boku wyspy z niby-piaskowca porozstawiała donice z ziołami i funkiami. Rododendrony pod wschodnim dziwolągiem, tuje i sosny karłowe po lewej.

— Cholera, Michał, czekaj! — zrobiła wstrzymujący gest ręką. — Nie może tak być.

— A to niby czemu?

— Jest parzyście! — pokazała na sosny karłowe.

— No tak. Szef pani nagadał? Pani Olu, niech pani nie traktuje tego aż tak poważnie. Wiele elementów nam się tu nie zgadza, a niech pani spojrzy, jak robi się pięknie — uspokajał ją Michał.

— Dobra, to w końcu mój ogród — powiedziała głośno i pomyślała: zawsze przecież muszę zrobić coś na przekór. Jestem w końcu Olą.

*

Dość rycia w ziemi — Olka się zbuntowała i pognała do śródmieścia. Już zaczęły się letnie promocje. Jeszcze lato się dobrze nie rozkręciło, a już organizują wyprzedaże — pomyślała. Każdego roku wcześniej. Dziwne. Nauczyła się już kupować na wyprzedażach i boleśnie doświadczyła, że nie zawsze po przecenie płaci się za towar mniej. Oj, ale była wściekła. Przysięgła sobie wtedy, że już nigdy nie da się nabrać. I teraz wyprzedaże traktowała bardzo nieufnie i podchodziła do nich „z pewną dozą nieśmiałości". No, może nieśmiałość to nie najlepsze określenie, ale sceptycyzm to już na pewno.

Mogła jechać do galerii, ale lubiła klimat starego miasta, gwar ogródków kawiarnianych, w których zawsze można było kogoś spotkać, a na spotkania miała akurat coraz większą ochotę. Na ulicy już widać wakacyjny luz. Młodzież snuje się po trotuarach, znerwicowane matki szarpią za ręce opierające się im dzieci, na środku rynku (skąd widok jest najlepszy) gromadka zwykle tych samych starszych panów niczym loża szyderców przygląda się młodym kobietom kręcącym się po placu. Niby rozmawiają, są zajęci sobą, a nie przepuszczą żadnej interesującej kobiety. Jednym słowem... wakacje.

I od czego tu zacząć — zastanawiała się. Miała na rynku dwa ulubione sklepy z ciuchami. Oba dla kobiet w wieku bardzo zbliżonym do jej. Oczywiście piętnaście lat wte i wewte nie robiło jej dużej różnicy, choć z wątpliwościami często zwracała się do Tytusa:

— Mały, zobacz — prezentowała zakup — nie przegięłam? Nie jestem aby na to za stara?

— Ty, za stara? Co ty mówisz! Jeszcze długo nie będziesz za stara.

Tak więc Olka często odwiedzała swoje ulubione sklepy dla młodych kobiet w średnim wieku i zawsze coś fajnego wygrzebała. W pierwszym miłe panie, zresztą koleżanki Tyciego, zwróciły jej uwagę na szare satynowe spodnie od piżamy w różowe paski. Znały Olę i wiedziały, że lubi szarości. Dobrała do tego szarą koszulkę z różowym napisem „Always Kiss Me Good Night". Fajny komplet. Tylko kto będzie mnie całował przed snem? Chyba sama siebie w lustrze — uśmiechnęła się do własnych myśli. Ale lubiła satynowe piżamy, drogą bieliznę i markowe kosmetyki. Długo nie mogła sobie na nie pozwolić, jednak od kiedy jej talent nieźle się sprzedaje, nie zastanawiała się zbytnio, kupując coś, co wpadło jej w oko.

Zamaszystym krokiem przemaszerowała przed „klubem dyskusyjnym" i skierowała się do kolejnego sklepu. Zlustrowała wzrokiem półki, przemierzyła sklep tam i z powrotem, już miała wychodzić, gdy spojrzała w okno wystawowe i oniemiała.

Na zewnątrz, w ogródku kawiarenki z pysznymi deserami, zobaczyła Dorotę i Maxa. Siedzieli przy stoliku jakby nigdy nic i rozmawiali. A właściwie Dorcia mówiła, wiosłując długą łyżeczką w bitej śmietanie. Max siedział i gapił się na nią jak sroka w gnat i tylko czasami kiwał głową, przytakując. Jak Dorota się nakręciła, to nie było szans wejść jej w słowo, nawet kiedy brała wdech.

A to ci dopiero! Spisek! Olka oprzytomniała. Co mam zrobić? Podejść do nich? A może się umówili? Tylko po co? Dorota ma fajnego brata, ale on jest żonaty i z całą pewnością hetero. O co tu chodzi? — nie mogła pozbierać myśli.

Postanowiła przeczekać. Gdyby teraz wyszła, natychmiast by ją zauważyli. Poszła więc na piętro, do działu męskiego. Kiedyś lubiła tu przychodzić i wyszukiwać ciuchy dla Marcina. Sam nie potrafił tego robić (poza odzieżą sportową), a jego żona miała to gdzieś. Więc jeśli chciała, żeby miał coś modnego, sama musiała to znaleźć. I robiła to z wielką przyjemnością.

Błąkała się teraz bez celu między półkami, brała do rąk wieszaki z koszulami, polówki, głaskała swetry. Bezwiednie zatrzymywała wzrok na kolorach, które lubił, i sprawdzała rozmiary. Za małe, za duże, zbyt drapiące, zbyt grube.

Po co to robię? — zastanawiała się. — Idę, co mi tam. Niech się tłumaczą!

Odłożyła na miejsce czarny kaszmirowy golf i skierowała się do wyjścia. Schodami w dół i do głównych drzwi.

Na stoliku stały jeszcze niesprzątnięte pucharki po lodach, ale spiskowców już ani śladu.

(Nowa wiadomość).

Dziś zdradził mnie przyjaciel. Przynajmniej tak się czuję. Jeśli jeszcze on mnie opuści, to chyba zostanę pustelnikiem. Max spotkał się z moją koleżanką z pracy i nic mi o tym nie powiedział. Może podoba mu się jej brat? Superciacho, ale hetero! I do tego szczęśliwie żonaty. Kurczę, czuje się jak zdradzona żona. A może spotkali się przypadkowo? Pada deszcz, siedzę na tarasie, który nie przecieka, i słucham, jak krople walą w deski. W całym domu pachnie kompotem z maminych papierówek, właśnie ugotowałam. Pamiętasz, jak fajnie było w takie deszczowe popołudnie leżeć w sypialni i gapić się w telewizor? Albo grać w karty? Udawałeś, że się złościsz, kiedy przegrywasz. Marcin, muszę Ci się do czegoś przyznać. Wiesz, czemu zawsze wygrywałam? Nie tylko dlatego, że mam szczęście w kartach, a nie w miłości. Jestem dobra w garibaldkę, ale też ociupinkę oszukiwałam. Jednak tylko troszkę i rzadko. I tak nie wysłuchasz tej spowiedzi, więc mogę się przyznać. Brakuje mi tych popołudni.

(Wiadomość zapisano w kopiach roboczych).

Olka wyłączyła komputer.

Teraz już nie mam nikogo — pomyślała, podeszła do bufetu na lwich łapach, wyjęła szklaneczkę z grubego szkła i nalała sobie metaxy. A co tam. Jeszcze mam tę blondynę, wariatkę — spojrzała w secesyjne lustro nad bufetem, wzniosła toast i uśmiechnęła się do siebie.

*

Ogród nabierał kształtów. Kamienna wyspa otoczona zielenią wyglądała imponująco. Z lewej strony jako wyściółkę Ola zaproponowała użyć łupka kamiennego, którym obłożono słupy i mur przed domem. Dobrze komponował się z niby-piaskowcem i niby-dechami, bo opalizował w tych samych kolorach: szarym, rudym i piaskowym. Szkoda tylko, że było go tak mało. Prawa strona, gdzie królowały hydrant i donica z liliami, była wysypana korą sosnową. Podobnie zresztą jak tył ogrodu. Pod rozłożystą leszczyną, obok sterty ułożonego drewna, Michał posadził przytargany autem modrzew. Całość miała być zasypana korą, ale Michał zaczął to Olce odradzać.

— Pani Olu — zaczął — a może resztę wysypiemy grysem granitowym?

— Czym? — zaniepokoiła się, że znów czegoś nie wie.

— Na Krańcowej jest fajny skład z kamieniem. Może tam pani kupić absolutnie wszystko. Głazy, łupki, grysy. Nawet figurki kamienne. Nie wiem, czy nie znajdzie tam pani nawet jakiejś latarni. Najlepiej niech się pani tam przejedzie i trochę porozgląda.

No i porozglądała się. A było na co. Kamień każdego rodzaju. Biały, szary, czarny, nakrapiany. Do wyboru, do koloru. Można nawet kupić kamienie polne, tylko po co, skoro można je nazbierać na polu. Miła młoda dziewczyna doradzała, jak potrafiła najlepiej, przeliczała, ile jakiego kamienia Ola potrzebuje, i w końcu dobrały odpowiedni. Biały grys granitowy, nakrapiany szarymi cętkami. Zamówiła. Dwie tony. Ale pagody nie było.

Pagodę znalazła w Internecie. Okazało się, że to wcale nie taki tani zakup. Kamienne japońskie latarnie zwykle są wykuwane z jednego kawałka granitu lub piaskowca. Średniej wielkości latarnia kosztuje około dwóch tysięcy złotych.

— Jak na ozdobę, troszkę dużo — żaliła się Tytusowi.

— To kup sobie krasnoludka — śmiał się z niej, bo doskonale znał jej stosunek do tego typu ozdób.

— Jasne. I postawię go w twoim pokoju.

Znalazła jednak rozwiązanie. Biały beton. Kto by pomyślał? Świetnie podrobiony kamień, odlewany i przysyłany wprost do domu. No i kosztuje dziesięć razy mniej. Wybrała, kliknęła, przelała pieniądze i po kilku dniach znalazła w krzakach zgrabnie zapakowany karton.

*

Nie poszła do Maxa przez kolejne trzy dni, więc kiedy ją zobaczył, uśmiechnął się od ucha do ucha.

— No, jest moja zguba — powiedział znad książki kucharskiej. — Co tobie? Już się bałem, że ta sterta kamienia cię przywaliła.

Olka ciężko klapnęła na krzesło przy stole kuchennym. Spojrzała na Maxa badawczo z odrobiną wyrzutu.

— No co? Stało się coś? — lekko się zaniepokoił.

— Ty mi powiedz.

— Ale co? — wciąż nie rozumiał.

Olka wzięła głęboki oddech, poprawiła się na krześle, jakby siedziała na rozżarzonych węglach, i złożyła dłonie jak do modlitwy.

— Max, widziałam cię w poniedziałek na rynku — zaczęła.

— I?

— Z Dorotą?

— I?

— No przestań z tym „i". Co ty z nią robiłeś?

— A co widziałaś? — uśmiechnął się pod nosem.

Matko kochana! To jeszcze mogło być coś więcej? — zaniepokoiła się.

— Jedliście lody! — aż kipiała z emocji.

— I czego nie rozumiesz?

— Max, do cholery, jeszcze nie tak dawno znałeś ją tylko z moich pijackich bajdurzeń, a teraz przesiadujesz z nią w ogródkach i obżerasz się lodami. O czym nie wiem?

— Że to była mrożona czekolada z bitą śmietaną — poprawił ją, co wprawiło go w jeszcze lepszy nastrój.

— Cholera, Max, nie wkurzaj mnie! — teraz już niemal krzyczała.

On spokojnie obrócił się do szafki, w której trzymał butelkę metaxy specjalnie dla Olki. Sam nie przepadał za tym trunkiem, ale przy każdej możliwej okazji był nim przez Olę obdarowywany. Sięgnął po jej ulubioną, kryształową szklaneczkę, wyszukaną na szperach, i dostojnie postawił przed nią ów zestaw uspokajający. Spojrzała na niego z wyrzutem, napełniła szklaneczkę do połowy, w końcu dopiero ranek, łyknęła odrobinę i uśmiechnęła się.

— Lepiej?

— Dużo lepiej. Max, co jest grane? — spytała już zupełnie spokojnie.

— Kiedyś spotkaliśmy się zupełnie przypadkowo. Zjedliśmy razem lody i poprosiłem ją o numer telefonu. Potem kilka razy do niej zadzwoniłem i zaproponowałem spotkanie. Zawsze chętnie się godziła. Coś jeszcze?

— A powinnam wiedzieć coś jeszcze? — spytała z niepokojem.

— Na razie nie.

Zdawało mu się, że odpuściła. Mieszała palcem w drinku, jakby chciała w nim rozbełtać swoje wątpliwości. Z głośnym cmoknięciem oblizała palec i wyprostowała skulone ramiona.

— Ale dlaczego? — drążyła dalej.

— Bo jest radosna i zabawna. Rozgadana, a przy tym bardzo inteligentna. I pomimo ewidentnych cech typowej nauczycielki, bardzo dobrze mi się z nią rozmawia.

— Chyba słucha — Olka przewróciła oczami.

Nie lubiła, jak Max używał określenia „typowa nauczycielka". Co to właściwie znaczy? Co on sobie myśli? Choć musiała przyznać, że sama potrafiła w ludzkim tłumie rozpoznać belfra. Nie wiadomo właściwie po czym. Kiedyś z Marcinem mieszkali w superluksusowym i superdrogim hotelu w Szczecinie. Marcin miał tam jakieś interesy do załatwienia i lubił fundować Oli wszystko, co najlepsze. Wieczorem wjechali windą na dach hotelu, gdzie mieścił się klub czy coś w tym stylu. Przy pianinie siedział przystojny facet i grał standardy. Oboje uwielbiali muzykę na żywo, zresztą Marcin sam bosko gra na fortepianie. W kącie siedziały trzy kobiety w wieku Oli (wtedy mniej więcej trzydziestoparoletnie), słuchały muzyki i rozmawiały. Ola powiedziała wtedy, że to nauczycielki, a Marcin się śmiał, że niby skąd ona może to wiedzieć. W przerwie Ola podeszła do dziewczyn i zagadała. Wszystkie trzy były nauczycielkami przedszkola i przyjechały do Szczecina na jakiś kurs. Tam dowiedziały się o koncercie i przyszły posłuchać. Ola nie wiedziała, po czym poznaje ciało pedagogiczne, ale nigdy się w tym nie myliła.

— No właśnie o tym mówię. Lubię jej słuchać. Nie muszę za wiele mówić. Dorota zadaje pytania i zaraz sama sobie na nie odpowiada. Snuje opowieści jak z *Baśni z tysiąca i jednej nocy* i sama się przy tym świetnie bawi. Ola, ona jest naszym zupełnym przeciwieństwem. Tyle w niej życia, że mogłaby nas oboje nim obdzielić i pewnie za wiele by na tej witalności nie straciła.

— No — Ola patrzyła niewidzącymi oczyma w okno. — Masz rację — ożywiła się — kiedy miałam takiego totalnego doła, ona jedna działała na mnie jak antydepresant. I wcale nie musiała mnie wspierać. Cała reszta miała gdzieś moje potyczki z klechą, nawet Mariolka. Ale ona jest za bardzo dupowata, żeby zająć jakieś stanowisko. Typowa ofiara. I tylko Dorota mnie pocieszała. No, tu się z tobą zgadzam — westchnęła — ale ty chyba nie potrzebujesz wsparcia? — zlękła się. — Ja powinnam ci pomagać. Przecież się przyjaźnimy.

— Oluś, ty jesteś dla mnie jak ukochana siostra, znam cię na wylot, ale teraz potrzebuję czegoś świeżego.

— Bo niby ja już się przeterminowałam? — oburzyła się.

— No widzisz? I dlatego nie mówiłem ci o tym, zanim mnie nie nakryłaś. Nie, do diabła! — Max z głośnym klapnięciem zamknął ciężką książkę kucharską i sięgnął do lodówki po piwo. — Dość już mam redagowania cudzych pseudonaukowych wypocin i chciałem znów coś napisać.

— I?

— Teraz ty zaczynasz? — wykrzywił usta w niby-uśmiechu. — I nic. Kompletnie nie mam pomysłu.

— I myślisz, że Dorota ci go podsunie?

— Nie, na taki cud nie liczę… ale dobrze mi się z nią gada… Sam nie wiem — urwał i zaczął przyglądać się piwnej piance, jakby tam szukał inspiracji.

Oj, niedobrze — pomyślała Olka — coś mi tu nie gra.

— E, wpadniesz na coś? — powiedziała na głos i pogładziła go po policzku.

— Tak źle jeszcze nie jest — obruszył się Max, ale ten siostrzany gest sprawił mu przyjemność.

*

(Nowa wiadomość).

Przysłali mi wczoraj pagodę. Wiesz, co to jest? Ja też nie wiedziałam. Znów musiałam doczytać. Pagoda to rodzaj wielokondygnacyjnej buddyjskiej budowli sakralnej, służącej do przechowywania relikwii. Kupiłam, bo mój ogród ma mieć charakter ogrodu japońskiego (choć strzeliłam już parę gaf…), a do tego może ona służyć jako latarnia. A ja przecież uwielbiam latarnie wszelkiego rodzaju. Dziw, że jeszcze nie spaliłam domu przez te wszystkie świece. Ale zawsze byłam ostrożna. Nadal lubię zapalać świece… myślę wtedy o Tobie.

(Wiadomość zapisano w kopiach roboczych).

Nadszedł czas przedstawienia Robertowi kolorowej wersji projektu.

Kurczę — Olka z podziwem patrzyła na swoje dzieło — jakby tak wyszło w naturze…

Niebieski okazał się strzałem w dziesiątkę. Zimna akwamaryna w połączeniu z ciepłym piaskowcem z odrobiną zieleni dawała wrażenie, jakby obrazek ożywał. Jakby stolik przed oknem paryskiej kawiarni był prawdziwy, a obrus na nim lada moment mógł być poderwany przez wiatr. Podwórko przestało być ponurą studnią.

— No, moja droga. Ten obrazek musi być mój — Max z lubością spoglądał na ukochany fragment swoich permanentnych marzeń.

— Najpierw muszę go pokazać Robertowi, potem ci go dam. Należy ci się. Za ten pomysł. — Oli nadal głupio było przyznać, że to, co uznała za durne, okazało się trafione.

— To kiedy randka? — po relacjach Olki z ostatniego spotkania, Max nie miał wątpliwości, o co chodzi Robertowi. Olce to też dobrze zrobi — pomyślał. Jest bliska obłędu, a nic tak dobrze nie wpływa na psychikę, jak lekki zawrót głowy. Sam wiedział to najlepiej.

— Auto mam w przeglądzie, więc Robert przyjedzie do mnie. Zresztą, chce zobaczyć ogród.

— No jasne. Tak to się teraz nazywa? — Max uśmiechnął się znacząco. Olka tylko wzruszyła ramionami.

Robert przyjechał tak, jak się zapowiadał. O siedemnastej. Punktualnie. To Ola akurat bardzo ceniła. Nie znosiła ludzi, którzy nie szanują cudzego czasu. Sama nigdy się nie spóźniała i tego samego oczekiwała od innych.

Zaprosiła go do salonu z wielkimi drzwiami tarasowymi i przepięknym widokiem na świeżo odremontowany taras. Robert stanął i rozejrzał się dokoła.

— Twój dom jest taki jak ty.

— To znaczy? — Ola podparła się pod boki i przechyliła zaczepnie głowę.

— Odzwierciedla twój styl i ma swoisty klimat. Widać, że nie zadowala cię byle co i cenisz rzeczy dobre. To twoje dzieła? — wskazał na wiszące obok siebie obrazy malowane na jedwabiu.

— Owszem, moje pierwsze. Uczyłam się wtedy techniki, może nie są najlepsze, ale wiesz... jestem sentymentalna. Kawkę, herbatkę? Czym mogę cię ugościć.

— Najpierw, proszę, pokaż mi ogród.

Pili herbatę na tarasie i przez cały czas Robert zerkał na ogród. Podobał mu się pomysł wykonania, podpowiedział jeszcze, jak oddzielić korę od łupka i od grysu granitowego. I wskazał, że dobrze byłoby rozrzucić kilka płaskich kamieni imitujących wyspy (jakby jednej kamiennej było mało).

— Jak tam nasza paryska kafejka? — spytał.

— Gotowa. Tylko nie mów, proszę, że nie podoba ci się ten kolor. Zupełnie nie widzę tam innego — położyła mu przed nos bajkowy obrazek.

— Ja też. Nie mogłaś wybrać lepiej.

Uzgodnili jeszcze parę szczegółów projektu i Robert, zabrawszy z sobą projekt, pożegnał się i wyszedł.

I już? Cholera, nie zdążyłam nawet zrobić klimatu — pomyślała zaskoczona Ola. Bo choć lekceważyła uszczypliwe uwagi Maxa na temat dzisiejszej wizyty Roberta, to chyba jednak na coś liczyła. Choćby na niewielkie oznaki zainteresowania. A tu nic.

*

— No tak. Bo jak już skończysz czterdziestkę, to nagle stajesz się niewidzialna. Jak te koty po otwarciu okna — westchnęła Ola nad szklaneczką.

— Skończysz czterdziestkę? Chyba jak dobijasz do pięćdziesiątki — poprawił ją Max.

— Nie bądź taki skrupulatny. Księgowy od siedmiu boleści.

— I co teraz zrobisz?

— Nic. Pójdę dziś na kąpiel w dźwiękach gongów tybetańskich.

— To już nie możesz zdrzemnąć się w łóżku? I za darmo? — drażnił się z nią.

Od kiedy Ola chodziła na zajęcia tai-chi, zaczęła też dbać o swoje zdrowie na wiele innych sposobów. Biegała, chodziła na długie spacery, jeździła na rolkach, piła wiadra zielonej herbaty, czasami odwiedzała znajomą masażystkę, i to nie w celach towarzyskich. Bywało, że po powrocie z leczniczego masażu wyglądała jak biedronka, całe plecy miała w ogromnych siniakach (efekt chińskich baniek). Ale wszystko to sprawiało, że czuła się zdrowa. Dziś po raz kolejny wybierała się do centrum medycyny naturalnej, gdzie miał się odbyć koncert.

Kiedy szła na podobny koncert po raz pierwszy, nie miała pojęcia, czego się spodziewać. Na podłodze salki, którą dobrze znała z cotygodniowych zajęć tai-chi, leżały porozkładane karimaty, na parapetach zaciemnionych okien paliły się świece i kadzidełka. Już sam klimat jej się podobał. Przed siedzącym po turecku przystojniakiem, na porozkładanych kocach, leżały dziwne misy, na stojakach wisiały gongi i różne dzwoneczki. Pan z uśmiechem zapraszał do zajmowania miejsc, instruktorka tai-chi rozmieszczała swoich podopiecznych w najlepszych miejscach. Przystojniak miło się uśmiechał i starał się odpowiadać na pytania dwóch dociekliwych pań.

Pewnie nauczycielki — przemknęło Oli przez myśl. Na bank! Upewniła się, kiedy panie chciały dotknąć mis.

— Bardzo proszę — zachęcał przystojniak — można je dotknąć, wziąć do ręki, potrzymać, a nawet polizać.

— Nadal mówimy o misach? — spytała Ola.

O, cholera! Powiedziałam to głośno? — przeraziła się.

Przystojniak uśmiechnął się filuternie i mrugnął do Olki.

— Też — zripostował.

Nauczycielki chyba nie zorientowały się w tej pieprznej konwersacji, bo nadal macały misy. Ale Olka zalała się rumieńcem po same cebulki włosów.

Że też zawsze muszę kłapnąć tym dziobem! — skarciła się. Już nie miała śmiałości spojrzeć na przystojniaka, położyła się, jak zalecano, i utkwiła wzrok w suficie. Czekała.

— Proszę pani, stópkami w moją stronę. Wibracje z dźwięków chłoniemy przez stopy. Więcej pani skorzysta. — Przystojniak stał nad Olą i próbował skorygować jej pozycję. Olka uśmiechnęła się przymilnie.

— Dziękuje, bardzo pan miły.

Stópkami do niego. Ryzykant — pomyślała. Była jesień. Wszyscy zdejmowali buty przed drzwiami, no więc ryzyko było duże.

Aha… po to te kadzidełka — wreszcie zajarzyła. Albo dźwięki mis i gongów, tudzież innych przeszkadzajek, okazały się zbawienne dla jej układu nerwowego, albo drzemka na podłodze była wysoce energetyczna, tak czy inaczej poczuła się świetnie i zadeklarowała przybycie na kolejne spotkanie.

Po kilku tygodniach zapowiedziano kolejny koncert. Olce głupio było iść samej (a nuż przystojniak ją zapamiętał), więc namówiła koleżankę z klubu dla kreatywnych, żeby poszła razem z nią. Oczywiście, roztoczyła przed nią wizję zbawiennego działania owych dźwięków na układ nerwowy i Hanka dała się złapać. Pracowała jako terapeutka mowy i była w tym świetna. Ale jak ta głupia wkładała w pracę całą swoją energię, stawała na rzęsach. Próbowała jogi, tai-chi, ale zwykle nie miała na nie czasu. Teraz zamierzała zregenerować się przez cudowne wibracje.

Weszły na salkę, gdzie czekał już przystojniak.

— O, witam panią. Więc jednak ostatnio się podobało? — zagadnął Olę.

— No jasne. Przecież mówiłam, że znów przyjdę.

Przystojniak wskazał jej miejsce na wprost siebie. Hanna miała leżeć ze stopami nad głową Olki.

Cholera! Zapamiętał mnie. Cała konspiracja na nic — zaklęła w duchu. Już teraz się pilnowała, żeby nie powiedzieć tego głośno. Uśmiechnęła się niewinnie i zajęła wskazane miejsce, po czym utkwiła wzrok w suficie i czekała.

— Moi drodzy, jeśli ktoś zdrzemnie się ociupinkę i będzie chrapał, to proszę sąsiada, żeby go lekko klepnął. — To głos Marysi, instruktorki tai-chi.

Wszyscy dostali koce do okrycia, w końcu to cała godzina leżenia na podłodze. Światło świec, kadzidełka... odjazd. Rozległ się cichy szum fal, potem gongi, a po chwili

— Chrrrr...

Rany! A to kto? — zastanawiała się Olka. W myślach dopasowywała ów dźwięk zapuszczanego malucha do jakiegoś faceta leżącego gdzieś nad jej głową.

— Chrrrr...

Matko kochana, to Hanka! — przeraziła się Ola i natychmiast uniosła ramię, by złapać Hankę za stopę. Pomogło. I znów gongi, szum fal, zawodzenie wiatru, dzwonki...

— Chrrrr...

O matko! — Ola już nie opuszczała ręki i co chwilę trącała koleżankę. Jednak po jakimś czasie okazało się, że Hanka podkuliła nogi i o przywołującym do porządku trącaniu już nie było mowy. Do końca koncertu wszyscy musieli słuchali chrapania Hanny. Co prawda w którymś momencie ktoś się dołączył, ale gdzież mu było do dostojnych tonów zmęczonej terapeutki.

Po koncercie Marysia spytała:

— I co, Haniu, podobało się?

— E tam, podobało. Przecież ciągle mnie lała po nogach, nawet nie mogłam się zdrzemnąć — Hania z wyrzutem spojrzała na Olkę.

No ładnie. Teraz to mnie już wszyscy zapamiętali — pomyślała Ola, ale zdecydowała, że na następny koncert jednak przyjdzie. Sama.

*

Zadzwonił telefon. Michał miał wypadek w ogrodzie klienta. Rozciął udo jakimś drutem i strasznie krwawił. Dzwoniła Marylka, bo Michał był w szpitalu.

Założyli mu szesnaście szwów i wysłali na wypoczynek. Niby nic strasznego, ale mały horror był. Ola bardzo polubiła Michała, więc ciągle dopytywała o jego zdrowie. Nie martwiła się o ogród, bo po dołożeniu płaskich kamieni do stąpania i wysypaniu granitowym grysem był prawie skończony. Brakowało jeszcze ze dwóch taczek polnych kamieni, które Ola zamierzała sama przytargać z pobliskich pól. No i wciąż brakowało kilku worków kory. Ale z tym, obiecała, też sobie poradzi.

Siadała każdego ranka na swoim miejscu, na krętych schodach, i z różanym kubkiem kawy w dłoni i poduchą pod pupą zachwycała się dziełem Michała.

Niby taki tam maleńki ogródek — myślała — a można zrobić z niego boskie miejsce do byczenia się. Jeszcze tylko odmaluję te stare meble z ogrodu i już można usiąść z piwkiem. Albo z czymś innym…

Tymczasem miała na głowie rozrysowanie projektu paryskiej kafejki na poszczególne elementy. Robota ma być skończona do końca tygodnia. Potem dobór farb i mają wchodzić na podwórko. Niestety, na razie bez Michała. Malowała więc w każdej wolnej chwili, a właściwie w każdej wolnej od malowania chwili robiła inne rzeczy.

Projekt był prawie ukończony.

— Pani Olu, mamy problem — mówił do słuchawki Michał.

— Jaki problem? — wystraszyła się, że może chodzi o jego zdrowie.

— Robert zniknął.

— Co zniknął, jak zniknął? — nie rozumiała.

— Nie odzywał się od paru dni, ale w końcu jestem wyautowany, więc się specjalnie nie martwiłem.

Ale dziś zadzwonił do mnie z pretensjami klient, który był umówiony na wczoraj. Robert w ogóle się z nim nie skontaktował i sam nie odbiera telefonu.

— E, pewnie się znajdzie — Ola nie wiedziała, jak może pomóc Michałowi.

— No tak. Ale jutro dobieracie farby, a od poniedziałku wchodzicie na podwórze. To tylko trzy dni.

— Michał, spokojnie. Możesz już chodzić?

— Jasne.

— Pomożesz mi dobrać farby i będziemy gotowi. Najwyżej przełożymy wykonanie — uspakajała go. — Przecież świat się nie zawali.

— Nie da się. Musimy zacząć terminowo. Umowa określa terminy i nie daj Bóg ich nie dotrzymać — Był wyraźnie przygnębiony komplikacjami.

— Michał, w porządku — złagodziła nieco głos i próbowała dodać mu otuchy. — Jutro po ciebie przyjadę, pojedziemy po farby i pogadamy. Jestem pewna, że do jutra Robert się znajdzie.

(Nowa wiadomość).
Kurde, Marcin, zginął nam szef. Szef firmy ogrodniczej, z którą miałam współpracować. Nikt nie wie, co się stało, ma wyłączoną komórkę, a jego pracownik nawet zgłosił zaginięcie na policji. A w poniedziałek musimy zacząć podwórko. Wiesz, terminy. Boję się, że będziemy musieli zacząć sami. Pocieszam Michała, ale sama mam pietra. Strasznie chciałabym, żebyś mnie przytulił.
(Wiadomość zapisano w kopiach roboczych).

Robert się nie odnalazł. I nikt nie wiedział, gdzie może się podziewać. Olka pojechała po Michała, wybrali farby w zaprzyjaźnionej firmie, której płacą zawsze po wykonaniu roboty, bo mogą zwrócić niewykorzystane produkty. I wciąż mieli nadzieję, że Robert się do nich odezwie.

*

— Max, może powinniśmy powiedzieć Oli, co razem robimy? — Dorota spojrzała na Maxa znad sterty zdjęć. — Czuję się jak zdrajczyni.

— Nie przejmuj się. Ola jest teraz tak zakręcona z tym malowaniem rowerów, że nawet nie wpada na szklaneczkę. Te ogrody spadły jej jak z nieba. Martwiłem się, że wpadnie w depresję, a tu masz. Wciągnęło ją po same uszy. I dobrze! Jej pozytywna energia udzieliła się i mnie.

— Ale w końcu jej powiemy? — upewniała się.

— W końcu będzie trzeba — westchnął — ale nie śpieszmy się. Najpierw posuńmy robotę do przodu, dopiero potem jej powiemy. — Rozsunął w wachlarz stos leżących przed Dorotą zdjęć.

— Musimy wybrać po trzy najlepsze. Z tych trzech jeszcze będą wybierać w wydawnictwie.

Od kiedy Max spotykał się z Dorotą, wróciły mu chęć życia, dobry humor i dowcip. Mógł wreszcie zająć się swoim tarasem. Wybrali się więc z Dorotą do galerii, żeby dokupić świece. Olka kiedyś wyczaiła, gdzie są najtańsze, i odtąd zawsze je tam kupowali. Tam rozbawił Dorotę do łez.

Zrobili słuszny zapas, co skłoniło pewną dość wścibską panią z kolejki do kasy do komentarza:

— Ciekawe, na co komu tyle świec — spytała głośno, zrobiła przy tym dociekliwą minę i przewróciła oczami.

— Urządzamy czarną mszę — odpowiedział zupełnie spokojnie Max, nie patrząc na nią i pakując paczki ze świecami różnych gabarytów do toreb. Specjalnie opóźniał tę czynność, żeby poczekać, aż wścibska pani zapłaci za swoje zakupy, po czym dodał: — Przyłączy się pani? Zapraszamy.

I wtedy spojrzał na nią tymi swoimi czarnymi ślepiami i uśmiechnął się zachęcająco. Pani aż podskoczyła. Capnęła zakupy i niemal biegiem ruszyła do drzwi. Może dostrzegła rogi wśród jego czarnych kręconych włosów? Kto to wie. W każdym razie Dorotę rozbawiło to tak, że jeszcze do końca dnia śmiała się na samo wspomnienie przerażonej miny wścibskiej klientki.

*

W niedzielę Michał zadzwonił do Oli z wiadomością, że wie od znajomego policjanta o namierzeniu auta Roberta. Albo mu je gwizdnęli, albo Robert wyjechał do Hiszpanii. Bo tam jest jego samochód.

No ładnie. To jesteśmy ugotowani — zmartwiła się Olka.

Najbardziej niepokoił się Michał, czuł się odpowiedzialny za firmę, bo pracował w niej od samego początku. Umówił się z Olą, że jeśli Robert się nie odezwie, sami dopilnują, by projekt został zrealizowany. W poniedziałek pojadą we dwoje na miejsce i zaplanują prace. Żałowali tylko, że nie mieli żadnych notatek Roberta.

Trudno, jeśli będzie trzeba, zrobią to po swojemu.

*

Robert się nie odezwał, więc pojechali do Wrocławia z Michałem, zgłosili rozpoczęcie prac inwestorowi i zabrali się do roboty. Olka martwiła się o kondycję Michała, który nie miał jeszcze zdjętych szwów, więc oszczędzała go, jak tylko mogła. Pomierzyli ściany, powierzchnie pod rośliny, próbowali coś zaplanować.

— Pani Olu, pierwszy dzień za nami — Michał był wyraźnie zadowolony.

— Michał, do cholery, przestań mi paniać.

— Jak to? Nie mógłbym — nieśmiało oponował.

— Bo co? Bo jestem za stara? — łypnęła na niego złowrogo.

— Nie! Nigdy w życiu. Ale to nie wypada.

— Pomyśl sobie, że jesteśmy wspólnikami w nieszczęściu. Musimy się wspierać i trzymać razem. — Cały czas próbowała go pocieszać, bo wyraźnie się martwił. — To co? Jutro bierzemy się do malowania? — Uśmiechała się zuchwale. Bo w końcu kto jak nie oni są w stanie sobie z tym bajzlem poradzić? — Pomożesz mi, Michał?

— Jasne, ale ty pomożesz mi zaplanować resztę. — Widząc jej odważne spojrzenie, nieco się uspokoił.

— Stoi.

Na realizację zamówienia mieli dwa tygodnie. To były ciężkie dwa tygodnie. Każdego dnia gnali do Wrocławia. Malunki były gotowe po tygodniu. W tym czasie Michał zaplanował zieleń i mały plac zabaw dla dzieci. A właściwie trójkątną piaskownicę z dwoma ławeczkami dla mam. Wszystkie drewniane elementy pomalowali na niebiesko. Wyglądało to dość intrygująco i takiego efektu oczekiwali. Na środku podwórka usytuowali dość nowoczesną sześciokątną fontannę z wygiętymi rurkami jako wylewki. Na środku duża kamienna kula. Michał zachowywał się, jak przystało na szefa. Rozdysponowywał pracę i próbował pomagać, na co nie pozwalała mu Ola. Nawet po ukończeniu malunków nadal jeździła z chłopakami. Pozostały cztery dni na nasadzenia.

I wtedy zdarzył się cud.

— Halo, Michał? Słyszysz mnie? — W telefonie zabrzmiał zmieniony głos Roberta.

— Szef?! W mordę, co się stało?! Gdzie się szef podziewa?! — Michał krzyczał do słuchawki.

— Michał, nic mi nie jest. Wszystko gra. Wytłumaczę ci później. Proszę cię, załatw coś dla mnie.

— Nie ma sprawy, co?

— W biurze, w czerwonym segregatorze, znajdziesz umowy. Sprawdź, proszę, co mi grozi za zerwanie tej na wykonanie podwórek we Wrocławiu. Nie czytałem jej do końca. Dałem dupy, ale musiałem to zrobić.

— Co się stało? — Michał nie miał pojęcia, co mogło być ważniejsze od pracy. To zawsze był priorytet Roberta.

— Moja Zuzia... i Alicja. Powiem ci później. Sprawdź umowę. Jutro do ciebie zadzwonię.

— Szefie, jeśli myśli szef o tym podwórku przy Chrobrego, to my je właśnie kończymy.

— Jak to kończymy? — nie rozumiał.

— No, Ola, chłopaki i ja.

W telefonie nastąpiła cisza.

— Halo, słyszy mnie szef? Kończymy podwórko przy Chrobrego. Musi szef tylko uregulować faktury w hurtowniach i szkółce, bo wszystko braliśmy na krechę... jak zwykle zresztą.

— Michał, nie wiem, co powiedzieć...
— Więc niech szef nie gada za wiele, tylko wraca.
— Będę za kilka dni. Michał, dzięki.
Po rozmowie nadal nie wiedzieli, co się stało. Jednak byli już spokojni, że Robertowi nic nie grozi. Ostatnie cztery dni były dla ekipy najprzyjemniejsze. Czuli, jakby utykali wisienkę na torcie. Pracowali z nieukrywaną radością, kończyli projekt, którego sami byli autorami. Po raz pierwszy.

*

(Nowa wiadomość).
Dawno do Ciebie nie pisałam. Byłam bardzo zajęta. Dwa tygodnie takiej harówki, że nie miałam ani czasu, ani siły pomyśleć, jak jest mi w życiu źle. Bez Ciebie. Najgorsze jest w tym wszystkim to, że nie widzę sensu myśleć o Tobie, bo to, co było, już nie wróci. A dawniej myślenie o Tobie zajmowało większość mojego samotnego życia, kiedy wiecznie na Ciebie czekałam. Teraz nie czekam, a i tak myślę. Bez sensu, prawda? Skończyliśmy projekt. I to bez dowództwa naczelnego. Ale ważne, że Robert się odnalazł. Nie mówiąc nic nikomu, nagle wyjechał do Hiszpanii. Przynajmniej tam namierzyła go policja, to znaczy jego auto. Nie wiemy, po co pojechał... Michał się nie rozgaduje, ale przypuszczam, że coś musiało się stać z córką Roberta. Mieszka gdzieś za granicą, nie wiem dokładnie gdzie. Marcin, szkoda, że to wszystko tak się rozpadło. To nie tak miało być. Myślisz czasami o mnie?
(Wiadomość zapisano w kopiach roboczych).

Zadzwonił telefon. Olka wyłączyła laptopa i spojrzała na komórkę. Numer nieznany.

— Halo?
— Dzień dobry. Wojtek mówi. Cześć, Olka.
Olę przytkało. Wstała od stołu i zaczęła nerwowo chodzić po pokoju. Prędzej spodziewała się telefonu od samego Belzebuba niż od księdza Wojtka.
— Halo, Olka, jesteś tam?
— Cześć, jestem — wydusiła z siebie.
— Ola, muszę z tobą porozmawiać. Masz chwilkę? To jest dla mnie bardzo ważne.
— Czy coś się stało? — Ola wolałaby wywinąć się od tej rozmowy, ale nie bardzo wiedziała jak.
— Stało się — zabrzmiało jak z zaświatów.
— No dobrze. Ale nie wiem, gdzie się możemy spotkać — dukała — muszę się ogarnąć.
— Ola, stoję pod twoim domem. Wpuścisz mnie?
Ola podbiegła do okna. O matko kochana! Ksiądz Wojtek stał oparty o rower, w dżinsach i niebieskiej koszulce. Niby on, a jakby nie on. No i nie ma wyjścia. Nagle poczuła, jak serce jej łomocze i ręce się pocą. Mimo to próbowała zachować spokój. Zeszła do drzwi i otworzyła furtkę.
— Proszę — wykrzywiła usta w niewyraźnym uśmiechu. — Rower lepiej wprowadź do środka.
Pokazała mu, gdzie ma postawić rower, i pokierowała do salonu. Wskazała kanapę.
— Rozgość się, proszę. Czego się napijesz? Kawy, herbaty, miętki z ogródka? — próbowała odwlec chwilę, kiedy będzie musiała spojrzeć mu w oczy.
— Świeżą miętę bardzo chętnie, jeśli to nie nadmiar zachodu.
Ola z ulgą wyszła na taras po miętę.
Rany! Czego on chce? Czy nie wie, że to przez niego jestem w takim stanie? Jak może nachodzić

mnie w domu? Chce przeprosin? Co mam robić? Co mówić? — panikowała. Zaparzyła dzbanek mięty, dołożyła trochę melisy (może się nie zorientuje), podała filiżanki i cukier.

— Siądziesz wreszcie? — Śledził ją wzrokiem, jak miotała się po kuchni. — Ola, chcę cię przeprosić i podziękować. No, spójrz wreszcie na mnie.

Odetchnęła głęboko i siadła w fotelu naprzeciwko. Gdy nalewała ziół, trzęsły jej się ręce. Ksiądz Wojtek, widząc to, odstawił dzbanek, wziął ją za ręce i przykląkł przy niej.

— Ola, spójrz na mnie — zaczął, ale czekał, aż Ola podniesie wzrok. — Przepraszałem już wszystkich, ale nie przyszłaś na zakończenie roku, a na tobie zależało mi najbardziej. Przepraszam — wziął głęboki oddech. — I dziękuję.

Nic nie rozumiała. Patrzyła na niego szeroko otwartymi oczami i zdawało się jej, że nie wie nawet, z kim rozmawia. A to przecież ten sam ksiądz Wojtek, tyle że bez sutanny, koloratki. Choć w dżinsach i na rowerze, ale to wciąż on. Trochę młodszy od niej, wysoki, wysportowany, średnio przystojny. No ale jednak ksiądz.

— Słuchaj, Wojtek. Nie podobało mi się twoje zachowanie, ale ja też nie miałam prawa tak postąpić. To ja cię przepraszam — odetchnęła głęboko. Wreszcie to z siebie wyrzuciła i nagle zrobiło jej się jakby lżej. — Ale jesteś księdzem i wydawało mi się, że duchowni powinni być przykładem dla na nas maluczkich. I dlatego się tak wkurzałam. Może jeszcze dlatego — zastanowiła się, czy o tym mówić — że kiedyś byłam taka jak ty. Sfrustrowana, zła na wszystko, i bardzo kogoś krzywdziłam. Nikt mi nie strzelił w pysk... a może było trzeba. Straciłam przez to miłość swojego życia — zawiesiła głos.

Po co mu to mówię? — przemknęło jej przez myśl. Poczuła, jak delikatnie ścisnął jej dłonie, zachęcając do dalszych wyznań.

— Mów dalej — zachęcał.

— Wiesz, że jestem rozwiedziona. Jasne, że wiesz. Moje małżeństwo to była porażka. Ale mam Tytusa, więc jednak jakiś sens miało. Od kilkunastu lat kocham faceta, którego krzywdziłam tak jak ty Mariolkę. Tylko że ja wiedziałam, dlaczego to robię, nie rozumiałam zaś, dlaczego ty byłeś taki wredny. — Głos jej się załamał. — Kochałam go, on mówił, że kocha, a mimo to nie potrafił odejść od żony. Wiem, wiem, co myślisz i co zaraz powiesz, w końcu jesteś księdzem — zaczęła się plątać. — Nie rozbija się małżeństw.

— Nie masz pojęcia, co myślę, Olu. Ale mów.

— Co mam mówić? Czekałam jak ta głupia przez kolejne lata, męczyłam się samotnie. Potrafisz sobie wyobrazić, jak ciężko jest samej utrzymywać dom, wychować i wykształcić dziecko? Wiesz, jak musiałam harować? — robiła mu wyrzuty, jakby to była jego wina. — Tylko ja to wiem. Cały czas myślałam, że mi w tym pomoże, że będzie przy tym ze mną. A tymczasem samotnie spędzałam święta, wakacje, nie chodziłam na żadne imprezy, bo samotnej nikt nie zapraszał. Siedziałam jak dupa w domu. O, przepraszam — zreflektowała się. — W końcu było we mnie już tyle żalu, tyle złości, że nic już nie mogło tego uratować. A ja mu tak wierzyłam — umilkła na chwilę. Ale tylko na chwilę. — Nikt nigdy mnie tak nie oszukał. Zaczęłam mu dokuczać, dręczyć go, byłam wredna. A on to znosił. — W kącikach oczu zaczęły się jej zbierać dwie wielkie krople. — Tylko że ja nie znosiłam już siebie. To nie byłam ja. Ten zawód wyzwolił we mnie wszystko co złe. To już nie byłam ja — mrugnęła i po policzkach spłynęły dwie strużki długo powstrzymywanych łez. — Musiałam zmienić swoje życie — szlochała. — I zmieniłam. — Wysunęła dłoń z uścisku i jej wierzchem wytarła mokre policzki. — Przestałam się złościć i myślałam, że będzie dobrze. Nie było. Po krótkim czasie zrozumiałam, jak bardzo go kocham i że wszystko stracone. Znów musiałam posprzątać w swoim życiu.

— I wtedy się rozchorowałaś? Pamiętam to, bo nigdy nie chorujesz. — Wciąż trzymał jej drugą dłoń i uśmiechał się. Wciąż przed nią klęczał. — I co zamierzasz z tym zrobić?

— Z czym? — nie rozumiała jego pytania.

— No z tym uczuciem. Przecież... wciąż go kochasz.

— Wojtek, jesteś księdzem. A ja ze świętą osobą nie rozmawiałam już ze sto lat. Przed tobą się wyspowiadałam i poryczałam. Czego jeszcze chcesz?

— Żebyś teraz ty wysłuchała mnie... — Puścił jej dłoń i siadł na kanapie. Nalał wreszcie mięty i podał jej filiżankę. — Ola, cieszę się, że powiedziałaś mi to wszystko, bo jestem pewien, że bardzo ci to ciążyło. Nie traktuj tego jak spowiedzi, bo... — wziął głęboki oddech — zdjąłem sutannę.

— No przecież widzę — uśmiechnęła się.

— Nie rozumiesz. Nie jestem już księdzem.

— Co? — Ola rzeczywiście nie rozumiała. Myślała, że Wojtek ma na sobie zwykłe ubrania dla wygody, przecież przyjechał na rowerze. Próbowała łapać powietrze jak ryba wyciągnięta z wody i starała się coś powiedzieć.

— Posłuchaj. Do seminarium poszedłem, bo rodzice o tym marzyli. Bardzo chcieli, żeby jedyny synek został księdzem. Nie wiem, czemu ich posłuchałem — zawahał się. — Czy chciałem uszczęśliwić mamę, czy po prostu nie miałem pomysłu na życie. Nie wiedziałem, co z sobą zrobić, i tak zostało. Skończyłem seminarium i wylądowałem tutaj. Dość daleko od domu, ale na tyle blisko, żeby wiedzieć, jak pourządzali się moi przyjaciele, widzieć, jakie mają szczęśliwe rodziny, no może nie wszyscy, ale większość. Mają dzieci, kłopoty z nimi, ale są zadowoleni. A ja? Dobrze, że choć miałem pracę w szkole. Bo potem wracałem na probostwo jak do więzienia. Niby nie miałem źle, ale ciągle byłem sam. Zacząłem się buntować. Nic mi się już w tym stanie nie podobało. Zacząłem tęsknić za rodziną. Nie za rodzicami, oni wciąż widzą we mnie księdza i nie chcą nawet słyszeć, że może być inaczej — umilkł i zagryzł wargę.

— Ale w czym ci zawiniła Mariola?

— Ona też widziała we mnie księdza. I traktowała jak świętego. A ja... — zawahał się. — Zacząłem być dla niej paskudny, a ona nadal traktowała mnie jak księdza. I całe szczęście, że wkroczyłaś, Olka. Ty mnie obudziłaś. Zrozumiałem, że ta gorycz zaraz mnie zaleje i może utopi. Dziękuję ci, Ola.

Olka siedziała w fotelu, zdawało się, bez czucia. W głowie miała mętlik. Siorbała ziółka.

— I co teraz? — zaniepokoiła się.

— Rozmawiałem z wujkiem, który prowadzi w Bieszczadach gospodarstwo agroturystyczne. Niedawno owdowiał. Ciężko mu samemu, a nie ma nikogo, kto zechciałby mu pomóc. Pojadę do niego i pomyślę, co dalej. On odradzał mi stan duchowny, tato nawet z nim przez pewien czas nie rozmawiał. Wujek Leon mnie zrozumie. Do domu nie mam po co wracać, a tu też nie zostanę. Sama rozumiesz.

Milczeli przez chwilę. Wojtek zamyślony mieszał łyżeczką napar z ziół, jakby miał tam pół kilo cukru. Nagle Ola roześmiała się, dolała mu mięty i powiedziała:

— Już myślałam, że wracam na łono Kościoła, bo się wyspowiadałam u księdza, a tymczasem nagadałam głupot Wojtkowi w dżinsach. Ale wiesz co? — spojrzała na niego i lekko odetchnęła. — I tak jest mi lżej — przyznała się.

— Mnie też — uśmiechał się do niej i zapytał: — Dodałaś melisy?

Ola parsknęła śmiechem.

*

Następnego dnia Ola odebrała maila o temacie „Zamówienie na obrazy". „Droga Pani, widziałem Pani prace na stronie Centrum Kultury. Szczególnie podobały mi się motyl i ważka. Zastanawiam się, czy nie zechciałaby Pani namalować dla mnie kolekcji polskich motyli. Oczywiście na jedwabiu, tak jak te na wystawie. Jeśli jest Pani zainteresowana, bardzo proszę o kontakt. Pozdrawiam, Krzysztof P.". I tu numer telefonu.

A to co? — pomyślała zdziwiona. Kiedy Hanna przekonywała ją do wystawienia swoich prac na wystawie klubu kreatywnych, Ola uważała to za pomysł co najmniej śmieszny. Prace wystawiały albo dzieci, albo dziadkowie. Obrazy olejne, inne rysowane kredkami, obrazki haftowane krzyżykiem, głównie produkcji starszych pań, kolorowe pisanki, malowane bombki. — Cholera! Muszę ją przeprosić.

Weszła do Internetu, żeby przyjrzeć się tym polskim motylkom.

No, trochę ich jest. To może być całkiem niezłe zamówienie — pomyślała i dodała do kontaktów w telefonie numer Krzysztofa P.

*

— Coś taka radosna? — zapytał Max, spoglądając na nią znad miski z jakąś różową masą. Ola umoczyła w masie łyżeczkę, polizała, kiwnęła głową z uznaniem.

— Nie wiem, co kombinujesz, ale zaczyna mi się to podobać. No właśnie. A co ty właściwie kombinujesz? — zapytała niby od niechcenia, licząc, że jednak Max uchyli rąbka tajemnicy.

— Musisz jeszcze trochę wytrzymać, już niedługo — zbył ją.

— Dostałam wczoraj zlecenie na obrazy.

— Znów podwórko?

— Nie. Mam komuś namalować na jedwabiu serię motyli. Trochę ich jest. Na co facetowi tyle obrazów? — zastanawiała się na głos, wyjadając z miski różową masę.

— Nie żebym ci żałował, ale trochę kalorii to ma — odpędzał ją od miski. — I co, zgodziłaś się?

— Jeszcze nie dzwoniłam. Zastanawiam się.

— A jest nad czym? Czegoś się boisz?

— Nie, tylko to dużo roboty, a już przygotowuję projekt następnego podwórka. Trochę się boję, że się zamotam. Z drugiej strony kasa mi się przyda.

— Więc dzwoń — ruchem głowy wskazał jej telefon. Polizał łyżkę i zawahał się przez chwilę. — Dodać więcej malin?

— To w tym są maliny? — spytała zdziwiona, a Max zgromił ją spojrzeniem.

— Dzwoń! — burknął.

Ola uśmiechnęła się filuternie, bo dobrze wiedziała, czym może kumpla wkurzyć. Max nie lubił krytyki, a szczególnie z jej ust. Wybrała numer.

— Dzień dobry. Mówi Ola Jakubik. — Rzadko przedstawiała się jako Aleksandra i choć lubiła swoje imię, wolała je zdrabniać. — Wczoraj dostałam od pana maila i chciałam porozmawiać.

— Witam, pani Olu. Cieszę się, że jednak jest pani zainteresowana. Bałem się, że nie zechce pani odpowiedzieć — brzmiał miły baryton.

— Przyznam, że trochę się zdziwiłam. To była przecież lokalna wystawa amatorów. A tu taka poważna propozycja. — Nie bardzo wiedziała, jak zacząć rozmowę.

— Nie będę pani okłamywał, że jest pani pierwszą, której składam taką propozycję. Już wcześniej czyniłem starania, ale kwoty podawane przez artystów mnie przerażały.

— Aż tak źle? — zaniepokoiła się trochę, że będzie chciał obrazy za półdarmo.

— Biorąc pod uwagę ilości, jakie miałem zamiar zamawiać, spodziewałem się rozsądniejszego podejścia ze strony twórców, ale się przeliczyłem.

— Matko kochana! A o jakich ilościach mówimy? — szczerze się zdziwiła.

— Widzi pani. Jestem właścicielem sieci hoteli, głównie w województwie lubuskim — zaczął bardzo spokojnie. — Zmieniamy wystrój, podnosimy standard i nie chcę wieszać w pokojach żadnych reprodukcji. Pomyślałem najpierw o motylach, bo zobaczyłem pani obrazy. Ale chciałbym w każdym z hoteli cykl obrazów o innej tematyce. Jeśli się dogadamy i obrazy będą się podobały dekoratorce, no to zamówienie będzie dość spore. — Zaniepokoił się ciszą w słuchawce. — Halo, pani Olu.

— Tak, tak, słucham. Tylko troszkę mnie to zaskoczyło. Czego pan oczekuje i na kiedy? — zapytała już nieco konkretniej.

— Może zechciałaby pani przygotować kilka obrazów. Tematykę niech pani wybierze sama. Z całą pewnością ma pani lepsze pomysły niż ja. Kiedy będzie pani gotowa, da mi pani znać, spotkamy się i dogadamy resztę — nastąpiła cisza. — Więc jak będzie?

— Muszę mieć trochę czasu do namysłu. — Olka nie wiedziała, co ma o tym wszystkim myśleć, przecież to może być robota na rok. Postanowiła jednak, że przemyśli wszystko podczas malowania próbek. — Dobrze, przygotuję próbki i zadzwonię.

— Oczywiście, pani Olu, za pracę przy próbnych obrazach również zapłacę. Ile potrzebuje pani czasu?

— Myślę, panie Krzysztofie, że wystarczy mi tydzień.

— Zatem będę czekał na wiadomość.

— Postaram się wysyłać panu zdjęcia mailem. Ale gdyby wpadł panu do głowy jeszcze inny pomysł, bardzo proszę mi go podsunąć.

— Miło się z panią rozmawiało i pewnie miło będzie robić z panią interesy.

— No cóż, liczę na to samo — nie ukrywała.

— Zatem czekam na wiadomości i do zobaczenia — miły głos brzmiał tak, jakby jego właściciel się uśmiechał. Olka umiała to wyczuć.

— Do zobaczenia. — Ola miała minę zatopionej w marzeniach kioskarki. Siedziała tak jeszcze przez chwilę, a Max przyglądał się jej z półuśmieszkiem.

— Czegoś się tak rozmarzyła? — Max postawił szklaną miskę z różową masą, siadł naprzeciwko, nałożył Oli małą porcję i posypał ją malinami. Wręczył łyżeczkę i nakazał: — Spróbuj.

Ola posłusznie wzięła łyżeczkę i bez słowa zaczęła jeść. Po kilku łyżeczkach spojrzała na niego z uznaniem.

— Ale to dobre. Jesteś coraz lepszy w tych swoich dziwactwach. — Zawiesiła na chwilę wzrok nad miską z różowością. — Max, cholera, ja mogę mieć roboty na cały rok.

— Ale kasy wciąż potrzebujesz? — uśmiechał się i mrużył figlarnie oko. — Czy może masz jej nadmiar?

— A ty masz? Mądrala. Jasne, że potrzebuję. Tylko już się zaangażowałam w te ogrody… A co jeśli nie spodobają mu się moje obrazy — machnęła łyżeczką — albo mnie nie spodobają się jego warunki. Pożyjemy, zobaczymy.

— Chyba pomalujemy.

— No właśnie. Pomalujemy, zobaczymy. Od jutra biorę się ostro do roboty, a teraz polej mi, kochany, bo mdli mnie już od tych słodyczy.

*

Poranek na tarasie. To jest to, co tygrysy lubią najbardziej, a raczej co Olka lubi najbardziej. Kawka z mleczkiem w kubku z różyczkami, schody i ten boski widok. Siedząc w swoim punkcie obserwacyjnym, spoglądała na donicę z kwitnącymi liliami i obrastającymi je ziołami. Lilie obudzą się dopiero około południa, ale i tak wyglądały cudnie. Hydrant stał dumnie na straży wznoszących się liści funkii, a stary kociołek zafioletowił się lawendą. Nieduża pagoda pasowała do rododendronów, które fantastycznie czuły się pod rozpostartymi skrzydłami wschodniego dziwoląga. A ten wreszcie nie był samotny i czuł się jak u siebie.

Olka też czuła się jak ten pogięty i przycięty jałowiec, wreszcie na miejscu. Sprawa z już nie księdzem Wojtkiem nie spędzała jej snu z powiek i pozwalała spokojnie myśleć o innych rzeczach. A było o czym. Zaangażowała się w projekty malowanych podwórek i obiecała przygotować próbki obrazów do hotelu pana Krzysztofa. Zaczęli właśnie samodzielnie przygotowywać następne podwórko. Michał, szczęśliwie, czuje się lepiej, a właściwie lepiej czuje się jego udo, i bardziej zaangażował się w pracę. A prawdę mówiąc to Ola przestała go wyręczać i nie wiadomo, czy to z pewności, że Michałowi już raczej praca nie zaszkodzi, czy też dlatego, że sama roboty miała od zatrzęsienia. Przygotowała już projekt nowego podwórka, a Michałowi i całej reszcie na szczęście się on spodobał. Drugie podwórko zaczynali znów bez Roberta. Zaplanowali prace tak, żeby jak najmniej obciążać Olę. Na malowanie w terenie miała trzy dni. I nie było tego zbyt dużo. Dwie latarnie, kilka donic, okno i rower oparty o ścianę. Za to chłopaki mieli pole do popisu. To podwórko naprawdę miało być zielone.

Olka dopijała kawę i uśmiechała się na widok swojego ogrodu. Tak wiele trudu kosztował ten skrawek ziemi za domem, a najsmutniejsze jest w tym to, że nikt prócz Oli i może jeszcze trzech sąsiadów tego cudu nie zobaczy. Ola co rano rozkoszowała się tym widokiem, co rano sprawdzała, ile jeszcze lilii zakwitnie i co rano przypominała sobie, że znów nie kupiła kory, po czym zapominała o tym do następnego ranka. Postanowiła natomiast nazbierać polnych kamieni. W tym celu wybrała się rowerem na pobliskie pole kukurydzy. Kukurydza miała wysokość świeżego ścierniska, więc kamieni specjalnie nie trzeba było szukać. Same rzucały się w oczy, niestety tylko w oczy, nie do koszyka. Chodziła więc po polu i zbierała kamienie do koszyka przymocowanego do bagażnika. Niezły to był widok, kiedy wracała do domu zygzakiem, bo ciężki kosz z kamieniami, choć znajdował się z tyłu roweru, rządził kierownicą.

A tymczasem Dorota, której Max pewnie wspomniał o spotkaniu Oli z Wojtkiem, przyszła do niej, a raczej przygalopowała goniona niesłychaną ciekawością.

— Ola, opowiadaj. Co jest grane z księdzem? — Siadła na ławce na tarasie i z przepastnej torby wydobyła zamknięte pudełko. — Dawaj jakie pucharki i łyżeczki.

Ola poszła do kuchni zrobić kawę, przynieść miseczki do tego czegoś, co z otchłani swojej torby wydobyła uśmiechnięta Dorota, i bardzo zgrabnie nałożyła zieloną piankę do miseczek.

— Co wy tak wydziwiacie z tym żarciem? — spytała Ola, wskazując na pudełko i raczej bez nadziei na odpowiedź.

— A co, nie smakuje ci? — Dorota już pochłaniała swoją porcję. — No, mów. Jak to było.

— Jak miało być? Jak go zobaczyłam, to o mało nie padłam na zawał. Zadzwonił, ale i tak już stał pod domem. Nie mogłam się wywinąć.

— I co, i co? — ponaglała Dorota.

— Przyjechał do mnie na rowerze. Bez sutanny, nawet bez koloratki.

— Już w szkole tak był — przypomniała sobie Dorota. Zamyślona, trzymała w ustach oblizaną do czysta łyżeczkę. — No i co dalej?

— Nic, zrobiłam miętkę z melisą. Miałam nadzieję, że się wyciszy, ale i tak wypiliśmy ją dopiero po rozmowie. Co o nim wiesz, Dorota? O jego życiu poza szkołą?

— To on miał jeszcze jakieś życie? — zastanowiła się. — Nigdy go nie spotkałam poza szkołą, no może w kościele, ale że chodzę do innego...

— Właśnie. Nic o nim nie wiemy. I właściwie nikt się z nim nie zakumplował.

— Po tym, jak traktował Mariolę? — Dorota nałożyła sobie resztę zielonej pianki. — Chyba nikt nie miał ochoty. Zresztą, co to za kumpel z księdza? — machała łyżeczką.

— Już nie jest księdzem — zupełnie spokojnie powiedziała Ola, a Dorota zdawała się tego nie słyszeć. — Przyjechał do mnie w dżinsach i koszulce. Początkowo myślałam, że może boi się wypierniczyć w tej kiecce na rowerze, ale on ją zdjął tak na amen.

— Co? — teraz dopiero wiadomość dotarła do Doroty. — Co ty mówisz?!

— Dorka, „patrz mnie na usta" — uśmiechała się, świadoma, że ma „niezłego hita". — Wojtek nie jest już księdzem — mówiła wyraźnie. — I to między innymi przyszedł mi powiedzieć.

— To na zakończeniu roku już nim nie był? — Dorota uświadomiła sobie, że nikomu nie przyszłoby do głowy, że Wojtek, pomimo braku sutanny, mógł pożegnać się ze stanem duchownym.

— A tego nie wiem. Nie pytałam. Ale wyjaśniliśmy sobie drażliwe sytuacje i mam nadzieję na pokój z niebiosami. Cholera! A może dopiero teraz naraziłam się na gniew boży? — zastanawiała się na głos.

— A to niby czemu?

— Dorota, on powiedział, że zrobił to dzięki mnie.

— Dzięki tobie czy przez ciebie? — Dorota niezupełnie jeszcze rozumiała tok myślenia Olki.

— Przyszedł mi podziękować, więc chyba dzięki mnie. Zrozumiał, że tak naprawdę nie chce być duchownym — ciągnęła swoje głośne rozmyślania.

— Tak nagle?

— No, nie wiem właśnie.

— Wydaje mi się, że z nim od dawna było coś nie tak — podchwyciła wątek Dorota. — Od czasu, jak przyszła do nas Mariola.

— E, wydaje ci się. Przecież na początku bardzo jej pomagał. Nawet śmialiśmy się, że Mariolka ma wreszcie adoratora.

Mariolka nie należała do kobiet, które nie mogą się opędzić od męskich spojrzeń. Nie rzucała się w oczy, była cicha, wiecznie skradała się gdzieś pod ścianami. Podczas przerw często nie można jej było nawet dostrzec wśród rozrabiającej młodzieży. Ani dostrzec, ani usłyszeć. Bo nawet gdy potrzebna była zdecydowana nauczycielska interwencja, Mariolka stała nad uczniami i dobrym słowem próbowała rozstrzygnąć konflikt. Był to jednak jakiś sposób. Uczniowie zdawali się schodzić jej z drogi, żeby — nie daj Boże — się nie potknęła i nie upadła. Jeszcze mogłaby potłuc się jak porcelanowa lalka. A tu nagle ksiądz Wojtek wziął ją pod swoje opiekuńcze skrzydła. Na początku tak to właśnie wyglądało. Potem nagle wszystko się zmieniło i ksiądz Wojtek zaczął jej unikać, a przy najmniejszej różnicy zdań wprost na nią napadał. Z początku nikt się specjalnie nie oburzał, często mieli inne zdanie, ale z czasem ich relacje stały się tak napięte, że byli w szkole tematem numer jeden. Mariolka starała się schodzić księdzu z oczu, dzięki temu unikała spięć. I tak było do czasu, kiedy sfrustrowana Olka nie dopatrzyła się, że powodem spięć jest właśnie Wojtek. Z większością starszych stażem nauczycieli Wojtek był po imieniu. Im łatwiej byłoby powiedzieć, co myślą o jego wyskokach. Tylko jakoś nikt się do tego nie kwapił. Aż wreszcie pewnego dnia miarka się przebrała.

Do końca zajęć szkolnych nie było już daleko, majowe słońce rozdiablało zmęczoną już po miesiącach nauki młodzież, a i nauczyciele ledwo ciągnęli za sobą nogi. Maj zawsze jest najcięższy, wychodzi zmęczenie i wtedy nauczyciele dość często chorują. Jak wysiadają nerwy, zaczyna się sypać cała reszta nauczyciela. Jest wtedy mnóstwo zastępstw za nieobecnych, czasami trudno się w tym połapać. Czerwiec mobilizuje resztki sił i biedny nauczyciel już ostatkiem sił dociera do mety. Ale maj… szkoda gadać.

Stali w pokoju nauczycielskim i próbowali rozszyfrować, gdzie kto ma zastępstwo. Byli niemal w komplecie. Do ósmej zostało jeszcze tylko kilka minut. Jak zwykle przed rozpoczęciem lekcji ktoś szukał właściwego dziennika, ktoś posiał gdzieś klucz do pracowni, ktoś inny błagał o jeszcze jedną szansę dla swojego leniwego wychowanka. Dzień jak co dzień. I wtedy to byli świadkami kolejnego ataku Wojtka. Ola stała obrócona plecami do Wojtka i Marioli, ale uszy miała gdzie trzeba. Zresztą wszyscy to słyszeli. W pewnym momencie nie wytrzymała, obróciła się na pięcie i otwartą dłonią uderzyła Wojtka w twarz. Wszyscy zamarli. Nawet muchy przestały brzęczeć.

Po chwili Mariolka wybiegła z płaczem, Wojtek stał jak oniemiały, a Olka, wysoko podnosząc głowę, wymaszerowała z pokoju nauczycielskiego i udała się wprost do dyrektora, któremu zakomunikowała, że jest bardzo chora i natychmiast musi iść do lekarza. Co zresztą niezwłocznie uczyniła. Nie widziała reakcji koleżeństwa, bo do szkoły już nie wróciła. Tylko Dorota opowiadała jej, jaki był ciąg dalszy.

— Na dobrą sprawę — zadumała się Ola — to nie wiem, o co chodziło Wojtkowi. Głupia, mogłam spytać, co się stało, że nagle Mariolka straciła jego zainteresowanie.

— Chyba jednak nie straciła, skoro prześladował ją na każdym kroku, jakby szukał sposobności, żeby na nią wpaść. Tylko zwykle źle się to kończyło — Dorota ze współczuciem pokiwała głową. — Wiesz co? Czy on się w niej aby nie kochał?

— No proszę cię! — Olka przewróciła oczami i wtedy przypomniała sobie, jak traktowała Marcina. Dokuczała mu przecież na każdym kroku. Z wrażenia odstawiła miseczkę z zieloną pianką. — Dorota, czyżbym się aż tak pomyliła?!

— Nie wiem, Olka, ale ja już wcześniej o tym pomyślałam.

— Czekaj, muszę sobie nalać. Chcesz? — Podeszła do bufetu i wyjęła butelkę metaxy.

— Lej, a co tam. Czasami trzeba się urżnąć.

I tak przesiedziały na tarasie do wieczora, snując domysły na temat relacji łączących Mariolkę i Wojtka. Zapaliły wszystkie świece i zrobiło się romantycznie, toteż ich domysły poszły w wiadomym kierunku. Później zaczęły narzekać na swoje samotne życie, czego efektem było pijackie chlipanie i potężny kac następnego ranka.

*

(Nowa wiadomość).

Marcin, byłbyś ze mnie dumny. Pojednałam się z księdzem. Ja i ksiądz! Czujesz to? Choć właściwie znajomość ze mną raczej nie wyszła niebu na dobre, bo w efekcie zrzucił sutannę. I to, jak mi powiedział, dzięki mnie. O cholera! To raczej nie jest powód do dumy. Ale powiedział, że czuje się z tym dobrze i nawet mi podziękował. No, ale jak się z nim godziłam, to myślałam, że nadal jest księdzem. Więc się liczy. Dostałam kolejną propozycję pracy. Będę malować na jedwabiu i jak moje prace się spodobają, to ozdobią nimi kilka hoteli. Mam nadzieję trochę na tym zarobić. A że malować akurat bardzo lubię, więc nic lepszego nie mogło mi się przytrafić. Znaczy mogło... i nawet się przytrafiło, tylko chyba to przegapiliśmy. Szkoda.

(Wiadomość zapisano w kopiach roboczych).

Terapia przynosiła rezultaty. Olka pisała, wyżalała się, a nie musiała się martwić, że ktoś ją ocenia. Przecież nikt tego nie czytał. I dobrze! Czuła się znacznie lepiej, wracała jej chęć do życia i rysowały się przed nią niezłe perspektywy.

Zaczęła już malować próbki dla pana Krzysztofa i nieźle się przy tym bawiła. Lubiła pracę z jedwabiem. Jednak na kilka dni musiała sobie odpuścić, bo trzeba było malować rowery na ścianie. Ostatniego dnia jej gościnnych występów na podwórku dostali miłą wiadomość.

— Ola, Robert wraca — powiedział Michał, chowając do kieszeni roboczych spodni telefon. — Pojutrze będzie w domu. Nareszcie — odetchnął.

Podwórko było zrobione w połowie, ale Robert i tak pewnie nie wprowadziłby żadnych zmian, bo wszystko było zaplanowane perfekcyjnie. Michał okazał się świetnym koordynatorem. Potrafił podjąć decyzję, ale zasięgał też rad reszty zespołu. Jak szef z prawdziwego zdarzenia. Ola była z niego bardzo dumna. W końcu to jej uczeń, choć go nie pamiętała.

Kiedy reszta ekipy kończyła podwórko, Olka odebrała telefon. Dzwonił Robert.

— Ola, wróciłem. Możemy się spotkać? — miał zmieniony głos.

— Boże, Robert! Nareszcie — cieszyła się, że go słyszy. — Tak się martwiliśmy. Jasne. Kiedy chcesz się spotkać? Tylko mi nie mów, że stoisz pod domem, bo szlag mnie trafi. — Przypomniała sobie sytuację z Wojtkiem. Do tego cała była ubabrana farbami, a w kuchni, gdzie ma najlepsze światło, leżały porozkładane pokaźnych rozmiarów ramy z rozpiętymi jedwabiami.

— Pod domem? — zdziwił się nieco. — Nie. To nie musi być zaraz. Może kolacja? Tam gdzie zwykle?

— OK. Może być o siódmej?

— Ale będziesz jeszcze jadła? — zaśmiał się.

— Bardzo śmieszne — już nawet on żartował sobie z jej łakomstwa.

Jak zwykle był punktualny i już na nią czekał. Wyglądał inaczej. Niby tak samo, nienagannie biała koszula, sportowa marynarka, buty z klasą, ale jednak jakoś inaczej. Opalony, ale jakby zmęczony, trochę starszy, poważniejszy.

— Cześć, Olu. Miło znów cię widzieć. Stęskniłem się za tobą — wziął ją za rękę i poprowadził do stolika. — Już zamówiłem, nie gniewasz się?

— Skądże, wiesz, co lubię.

Co jest w nim innego? — zastanawiała się.

— Nawet nie wiesz, jak jestem wam wdzięczny za waszą pracę. Nie mogłem się otrząsnąć ze zdziwienia, że zrobiliście to sami — mówił z nieukrywanym podziwem.

— To wszystko zasługa Michała. Jest super. Taki odpowiedzialny... o wszystkim pomyślał.

— A to ciekawe... bo on twierdzi, że to ty byłaś motorem.

— Proszę cię. Gdzie ja? — Ola cieszyła się, że doceniają jej wkład, ale wiedziała, że bez determinacji Michała nic by z tego nie wyszło. To on przejął zadania Roberta i doskonale sobie poradził.

— Jestem ci winien wyjaśnienia. Michał co nieco wiedział, ale prosiłem go o dyskrecję — tłumaczył się.

— No, to muszę ci powiedzieć, że możesz mu powierzyć swoje najbardziej mroczne tajemnice, bo nie znam nikogo, kto tak trzyma język za zębami. Nie powiedział mi absolutnie nic. Tym chętniej posłucham, co się stało.

Kelner przyniósł zamówienie. Oj, Robert wiedział, jak odwrócić jej uwagę. Olka niemal rzuciła się na jedzenie. W przypływie weny twórczej zapomniała zupełnie o strawie dla ciała i od śniadania nic nie jadła. A śniadanie też nie było powalające. Za to takie jak lubi, kawka z mleczkiem i grzanka z serem pleśniowym. Rzadziej wysila się na przygotowanie sobie jajka po wiedeńsku. Kroi wtedy grzankę na dwucentymetrowe paski (ważne, bo inaczej grzanki nie mieszczą się w skorupce jajka!), ścina czubek jajka ugotowanego na miękko, robi mały dołeczek na masełko, soli i czeka, aż masło się rozpuści. Potem pokrojoną w paski grzanką wyjada zawartość skorupki. Lubiła siedzieć na schodach, chrupać grzankę i popijać kawą. Celebrowała te chwile każdego ranka. Teraz ma jeszcze przepiękny widok.

— Musiałem wyjechać tak nagle, bo coś się wydarzyło — chyba nie bardzo wiedział, jak jej to wszystko wytłumaczyć.

— No, spodziewałam się — nie miała zamiaru mu ułatwiać.

— Mówiłem ci kiedyś, że mam córkę Zuzię. Ma siedem lat. Mieszka ze swoją mamą i jej mężem w Holandii. Przynajmniej ostatnio — grzebał widelcem w talerzu. — Pojechali na wakacje do Hiszpanii i pod Barceloną mieli wypadek samochodowy. On zginął na miejscu, nie miał szans bez pasów. Pomimo poduszek powietrznych i innych bajerów... Alicja nadal jest w szpitalu.

— A Zuzia? — Ola się zaniepokoiła.

— Zuzia spała na tylnym siedzeniu, też miała niezapięte pasy. W czasie wypadku spadła i zaklinowała się między fotelami. Jest dość dotkliwie poobijana, ale nic jej się nie stało — odetchnął i uśmiechnął się jakby uspokojony. — Hiszpańska policja powiadomiła mnie, bo znaleźli u Zuzi mój numer telefonu. Musiałem natychmiast tam pojechać i wszystkim się zająć.

Ola o nic nie pytała. Pozwoliła, żeby sam powiedział jej wszystko to, co chce. Spokojnie jadła grillowaną polędwicę i słuchała.

— Alicji przez parę dni nie można było przeszkadzać. Ma wstrząśnienie mózgu, połamane żebra, no i... sama wiesz. Straciła męża. Chciałem ją przewieźć do Polski, ale dali mi tylko Zuzię. Po Alę pojadę za jakiś czas. Mam dzwonić i pytać.

— I zostawiłeś ją tam samą? — zaniepokoiła się.

— Nie, nie samą. W Barcelonie mam przyjaciół, mieszkałem teraz u nich. Opiekują się Alicją, zresztą ma świetną opiekę w szpitalu. — Robert wreszcie zaczął jeść. — Musiałem zabrać stamtąd córkę, bo bardzo płakała i tęskniła za babcią w Polsce. Ona ją niańczyła przez pierwsze lata. Dlatego nie czekałem na jej mamę. Wrócę po nią, jak już będzie czas.

To go tłumaczyło. Ola początkowo nie rozumiała, jak mógł ich zostawić z tym całym bałaganem. I choć wymyślała coraz to inne scenariusze: że porwali go dla okupu albo że jest szpiegiem i wypełnia teraz tajną misję (a mógłby być jednym z wcieleń Agenta 007), albo że wplątał się w jakieś ciemne sprawki, to jednak nie pomyślała, że pojechał za ukochanym dzieckiem, jak zrobiłby każdy ojciec. Rozumiała go doskonale.

*

Ciepły, ale przekropny lipiec zmierzał do końca. Upalnych dni było niewiele i Ola bardzo już tęskniła za drobnym lenistwem na swoim tarasie, za upałem, kiedy jedyną ochłodą jest zimna kąpiel (niestety w wannie), za lekturą dobrej książki. Tymczasem ostatnie tygodnie miała bardzo pracowite. Co prawda, za pierwsze podwórko dostała niezłą kasę, kolejne też podreperuje jej budżet, ale tworzenie ogrodu i cała reszta bardzo ją już zmęczyły. Nawet nie miała czasu nacieszyć się swoim dziełem.

Próbne obrazy dla pana Krzysztofa były prawie gotowe i czas najwyższy go o tym powiadomić. Ola wysłała mu wcześniej kilka zdjęć mailem, ale nie doczekała się odpowiedzi.

— Halo, dzień dobry. Mówi Ola Jakubik... ta od obrazów — starała się mu przypomnieć.

— Ależ doskonale pamiętam. Dzień dobry, pani Olu. Czyżby miała pani dla mnie dobre wieści?

— No właśnie nie wiem. Nie odpowiadał pan na maile i nie wiedziałam, co o tym myśleć.

— Pani Olu, jakość zdjęć nie była najlepsza, więc czekałem na pani telefon, że ostatni obraz jest już gotowy. I mam pewną propozycję.

— Jeszcze jedną? — starała się być miła.

— Czy nadchodzące dni ma pani bardzo zajęte? Wiem, że pracuje pani w szkole, a przecież są wakacje, ale może ma pani jakieś plany? — nie wiedział o jej chorobie, bo niby skąd. Nie będzie się przecież każdemu chwalić, że jej odbiło.

— Niczego konkretnego nie planowałam, przynajmniej nie na najbliższe dni.

— Zatem pozwoli się pani zaprosić na krótki wypoczynek nad jeziora? — powiedział prosto z mostu.

— Eee... — Olę trochę przytkało. — Nie wiem, co powiedzieć — bąkała.

— Właśnie słyszę — zaśmiał się. — Przywiozłaby mi pani obrazy, ja pokazałbym pani niektóre hotele, a przy okazji trochę by pani odpoczęła.

— Sama nie wiem — zaskoczona nagłą propozycją nie potrafiła podjąć decyzji.

Hotelarz wyczuł jej wahanie i szybko dodał:

— Oczywiście proszę przyjechać z osobą towarzyszącą. Nie każdy lubi podróżować sam. Miejsca w hotelu jest aż nadto. Wyślę pani mailem mapkę, jak do nas dojechać. Albo, jeśli dojedzie pani na dworzec pociągiem, przyślę po panią samochód.

— Jeżdżę autem.

— No to mapkę z trasą dojazdową — nie ustępował. — Wolałbym pani pokazać, niż tłumaczyć, o co mi chodzi, no i porozmawiałaby pani z moją dekoratorką. — Odczekał chwilę. — Więc jak będzie?

— Zgoda. Ale gdyby coś mi wyskoczyło, nie będzie pan miał mi tego za złe? — zostawiała sobie otwartą furtkę do ewentualnego odwrotu.

— No jasne. Zależy mi na tych obrazach.

I tym sposobem Ola stanęła przed dylematem: jechać czy nie jechać? Dawno nie wybierała się samotnie w podróż, zawsze jeździła z Marcinem. Nawet jak miała swoje sprawy do załatwienia, on zawsze ją zawoził, zawsze znalazł czas. A teraz ma jechać sama? I do tego na spotkanie z facetem, którego znała z kilku rozmów telefonicznych?

Jeśli pojadę — kombinowała — nie wiem, co zastanę na miejscu. Jeśli nie pojadę, może ominąć mnie coś fajnego. A już dawno nic fajnego mi się nie przytrafiło, no może te miękkie kolana z Robertem — westchnęła na samo wspomnienie tamtej chwili.

— Max, pojedziesz ze mną? — snuła się po jego tarasie i zapalała wszystkie możliwe świece. — Z tobą będę się czuła bezpieczniej na drodze. Wiesz, że nie lubię jeździć sama tak daleko.

— Tylko o drogę ci chodzi? Nie o faceta? Nie boisz się tego gościa?

— No co ty. Niby czemu? Co może mi zrobić? — nie rozumiała jego obaw.

— Może to jakiś zbok? Albo jakiś stary piernik, który potrzebuje panienki na weekend?

— Zgłupiałeś? I po to przeglądał prowincjonalne wystawy? — trochę już była na niego zła.

— A gdzie indziej znajdzie taką naiwną gęś? Najszybciej w domu kultury. Na zajęciach dla samotnych i zagubionych.

— Głupi jesteś — wkurzyła się.

Jak on może myśleć, że jest taka naiwna. A może jednak jest?

Dolała sobie swojego ulubionego alkoholu i podkuliła nogi na krześle. Oparła brodę na kolanach i westchnęła. Lubiła ten taras. Światła świec rozświetlały kąty osłonięte liśćmi winobluszczu, małe płomyki drżały poruszane lekkim oddechem wieczornego wiatru i sprawiały, że cienie liści tańczyły po całym tarasie. Patrzyła przed siebie, nie chcąc niczego widzieć.

Jak dobrze, że nie musi teraz siedzieć sama u siebie. Nie chciała ostatnio przebywać sama.

— Weź Dorotę — odezwał się nagle. — Przynajmniej nie zaśniesz za kierownicą.

Niezła myśl. Ostatnio dużo czasu spędzała z Dorotą i zawsze świetnie się rozumiały. Pomimo różnicy wieku czuły przyjacielską więź. Szczególnie… przy kieliszku.

— Zgodzi się? — zachodziła w głowę.

— Nie wiem, zapytaj. Ale myślę, że przyda jej się krótki urlop od rodziców.

Kiedy wróciła do domu i uruchomiła komputer, czekał na nią mail z mapką dojazdową. No i chyba nie było wyjścia, musiała jeszcze tylko namówić Dorotę. Okazało się, że wcale nie musiała jej długo przekonywać. Kiedy przedstawiła koleżance propozycję, usłyszała w słuchawce:

— To kiedy jedziemy? Mam wziąć dużo ciuchów?

(Nowa wiadomość).
Jutro w południe wyjeżdżam na krótkie wakacje nad jezioro. Gdzieś w okolice Świebodzina, do jakichś... Niesulic. Za cholerę nie wiem, gdzie to jest. Co prawda od „zapraszacza" dostałam mapkę dojazdu, ale sam wiesz, jak potrafię czytać mapy. I jak trafiam do celu. Mam nadzieje, że Dorota jest w tym lepsza, tak przynajmniej mówi. Jadę poniekąd w interesach i mogłam kogoś z sobą zabrać. Dorocie bardzo to przypasowało, bo do jej rodziców przyjechały wnuki i musiała robić za dobrą ciotkę. Już miała tego dosyć. Hotelarz, o którym Ci już pisałam, chciał obejrzeć obrazy i zaproponował mi krótkie wakacje. Nawet dobrze, jestem już padnięta. Robert się odnalazł, zaczął znów pracować, ja na razie nie jestem im potrzebna, więc z dziką ochotą wyjeżdżam. Marcin, pamiętasz, jak każdego roku jeździliśmy do Gdańska? Choćby tylko po to, żeby przywitać się z Neptunem i przejść ulicą Długą, pogapić na Motławę i zjeść dobrą rybkę? Tęsknie za tym. Tęsknię za swoim starym życiem. Tęsknie za Tobą.
(Wiadomość zapisano w kopiach roboczych).

*

W południe podjechała pod blok Doroty, która już na nią czekała.

— Matko kochana! A ty dokąd się wybierasz z tym kufrem? — Ola przeraziła się na widok olbrzymiej czerwonej walizy Doroty.

— No co? Mam tam tylko najpotrzebniejsze rzeczy. Kobieto, czy jedziesz na dwa dni, czy na dwa tygodnie potrzebujesz tyle samo rzeczy — nie dała się zbić z pantałyku.

— Skoro tak uważasz. — Ola nie zamierzała z nią dyskutować, przecież kufer do auta się zmieści. Przesunęła swoją torbę, trochę większą od torby na laptopa. Wspólnymi siłami wtargały do bagażnika czerwone nieszczęście i dwa kapelusze (zupełnie nie wiadomo po co, to tajemnica właścicielki), sprawdziły, czy mają mapki wydrukowane przez Maxa, który nie do końca wierzył tym przesłanym przez pana Krzysztofa. Przed wyjazdem Max kategorycznie nakazał im pilnować komórek, żeby zawsze były naładowane, i nalegał, żeby dziewczyny zawsze miały je pod ręką. Nie wierzył w dobre intencje hotelarza, ale nie mógł pojechać z nimi. Na wszelki wypadek spakował Oli do schowka nawigację, choć strasznie się wzbraniała. Nie potrafiła jej obsługiwać, bała się takich urządzeń jak diabeł święconej wody. Nie brały z sobą żadnej wałówki, bo obie lubiły jadać po drodze i uwielbiały pijać w aucie kawę w papierowych kubkach z pokrywką.

— Boże, Ola. Jak mi ten wyjazd jest na rękę! Nawet nie masz pojęcia — westchnęła ciężko Dorota i wsiadła do lśniącego czarnego auta. Zapinała pas i nie przestawała mówić: — Lubię dzieci, ale — do cholery — ile można! Dziesięć miesięcy w szkole i jeszcze podczas wakacji. Dzięki ci za ten wyjazd.

— To ja ci dziękuję, nie lubię jeździć sama tak daleko. No i... trochę Max mnie nastraszył. Czy ty też myślisz, że to może być jakiś niewyżyty facet, który szuka panienki na lato? — spytała, pomimo że bała się wystraszyć koleżankę.

— Olka, wali ci? No chyba zgłupiałaś. Czemu miałabym tak myśleć? — Dorota zdawała się rozbawiona. — Nie słuchaj, co gada Max. Przecież sam kazał ci odpowiedzieć na tę ofertę, a teraz świruje? E tam. Faceci to tchórze. Jedziemy!

Dzień był ładny, nie padało, więc droga zapowiadała się przyjemnie. Umówiły się, że będą stawać na stacjach benzynowych na kawę z automatów, a na jedzenie w zajazdach. Tylko nie sądziły, że postoje będą aż tak częste. Na jednej stacji kupowały kawę, na kolejnej musiały stawać, żeby ją wysiusiać. W każdym lepiej wyglądającym zajeździe przetrącały co nieco. Droga była bardzo przyjemna. Dorota z mapkami na kolanach, starała się kontrolować trasę, choć nie było to konieczne. Miały też wydrukowane kartki z atrakcjami, jakie mogą zobaczyć po drodze.

— W Wolsztynie możemy zwiedzić muzeum lokomotyw — proponowała od niechcenia Dorota. — Ola! Albo to! Słuchaj, hit absolutny — aż podskoczyła na siedzeniu.

— No dawaj!

— Trzydziestotrzymetrowy pomnik Chrystusa Króla w Świebodzinie!

— Co takiego? — Ola słuchała z niedowierzaniem. — Czytaj.

— Cały pomnik ma wysokość ponad pięćdziesięciu metrów, z czego szesnaście metrów to usypany kopiec — Dorota czytała co ciekawsze fragmenty opisu. — Ciężar całej konstrukcji szacowany jest na mniej więcej czterysta czterdzieści ton. To największy na świecie pomnik Chrystusa, kopia tego słynnego z Rio de Janeiro. Tylko polska figura ma na głowie koronę, pozłacaną.

— No jasne — mruknęła pod nosem Ola.

— Chcesz ją zobaczyć? — zapytała Dorota z szerokim uśmiechem na ustach.

— Ty chyba oszalałaś! — prychnęła, ale zreflektowała się szybko, bo przypomniała sobie, że Dorota jest katoliczką, i szybko dodała: — Chętnie jednak się zatrzymam, żebyś ty mogła zobaczyć ten cud. Będzie co opowiadać Wojtkowi.

— E, nie. Może w drodze powrotnej. Mamy teraz ciekawsze plany.

Droga do Świebodzina przebiegła gładko. Jadły, piły kawę i śmiały się niemal całą drogę.

— Dorota, gdzie teraz? — spytała spłoszona Olka. — Nie wiem, gdzie dalej.

— Mogłyśmy ominąć ten Świebodzin. Musimy jechać trochę w dół.

— To czemu nie ominęłyśmy?

— Bo mapę miałam do góry nogami.

— To co teraz?

— Może włączymy nawigację? Umiem to obsłużyć — uspakajała ją Dorota.

— No jeśli tak jak mapę, to może być niezły ubaw.

I był. Dorota wydobyła ze schowka urządzenie i zaczęła przy nim kombinować. Udało jej się wpisać nazwę miejscowości, ulicę i numer posesji. Ale chyba nie wszystko poszło jak powinno. Ciepły, męski głos wskazywał, dokąd jechać. Kiedy skręcać w lewo, a kiedy w prawo. Jechały jakimiś krętymi dróżkami, wśród lasów i pól. Droga była urokliwa, ale zupełnie nie taka, jakiej się spodziewały.

— Na pewno dobrze jedziemy? — zaniepokoiła się Olka. — Coś mi tu nie pasuje.

— Facet mówi, że dobrze — uspakajała ją towarzyszka podróży — ale może mówi bzdury. Zobacz, wjeżdżamy na plażę.

— O cholera! Gdzie my jesteśmy? Co to za jezioro? — Ola robiła duże oczy.

— Niesłysz.

— Czego mam nie słyszeć? — nie rozumiała Ola.

— To jezioro nazywa się Niesłysz.

— Aaa. I to jest to, nad które miałyśmy dotrzeć? — upewniała się.

— Tak. Tylko jakby... z drugiej strony. Chyba. Rany, Olka. Dzwoń do tego pana Krzysia. Bo wilki nas tu zjedzą.

Zadzwoniły. Kazano im wracać tą samą drogą. Na drodze, z której skręciły (za podpowiedziami ciepłego męskiego głosu), już czekał na nie terenowy wóz. Młody, nad wyraz umięśniony człowiek z szerokim karkiem i łysą głową, polecił im jechać za sobą. Spojrzały na siebie z obawą.

— Wygląda jak gangster. Chyba trochę się boję — przyznała Dorota.

— Dorota, wyłącz już tego pierdołę — zaśmiała się Ola, chcąc uspokoić koleżankę.

— Słuchaj faceta, to wywiedzie cię na manowce — westchnęła Dorota, poskładała wszystkie wydruki i schowała nawigację. Spojrzała na auto jadące przed nimi.

— Myślisz, że jesteśmy bezpieczne? — jednak trochę się bała.

— Teraz to już chyba trochę za późno na obawy. Zobaczymy. Raz kozie śmierć!

Droga okazała się prostsza, niż myślały, i krótsza. Jeszcze nie opuściły ich obawy, kiedy w ślad za terenówką wjechały przez potężną bramę do parku. Ciężka, kuta brama natychmiast sama się za nimi zamknęła.

— Matko, Olka. Mam pietra.

— Zobacz, ale cudo — westchnęła Ola.

Przed nimi zza starych drzew wyłonił się przepiękny pałac.

— Ja pierniczę, ale chata!

Przepiękny pałac został zbudowany w konwencji nawiązującej do stylów historycznych z przewagą cech neorenesansu. Olka trochę się na tym znała. Bryła rozczłonkowana, skrzydła boczne dwukondygnacyjne, nakryta czterospadowymi dachami. Na froncie czterokondygnacyjna wieża zakończona belwederem i nakryta płaskim dachem. Cała bryła urozmaicona trójbocznymi wystawkami, tarasami i balkonami. Z przepięknymi balustradami. Okna o najróżniejszych kształtach, wszystkie bardzo bogato zdobione. Elewacja w kolorze zimnego kakao i bieli, odcinała się od błękitu nieba i zieleni otaczającego pałac parku. Całość zapierała dech.

Podjechały pod frontowe drzwi i wysiadły z auta. Gruby, jasny żwir zachrzęścił pod sandałkami. Stały i z zadartymi głowami podziwiały dostojne gmaszysko.

— Witam miłych gości.

Z mieszczącego się na przyziemiu przyarkadowego wejścia wyszedł przystojny szpakowaty pan. Podszedł najpierw do Doroty, uścisnął jej dłoń.

— Zapewne pani Ola?

— Dorota.

— Ja jestem Ola — uśmiechnęła się zażenowana, że nie została rozpoznana. Ale niby po czym. Podeszła i podała mężczyźnie dłoń.

— Przepraszam. Strzelałem — tłumaczył się. — Jestem Krzysztof Pawlicki.

Olka uśmiechała się przyjaźnie. To chyba jednak nie gangsterzy — uspakajała się w myślach. Tylko kto, do cholery?

— Zapraszam do środka — uprzejmym gestem wskazał im wejście do domu i poszedł za nimi. — Pewnie jesteście panie zmęczone i głodne.

— Zmęczone może trochę. Głodne raczej nie — Dorota odzyskała głos. — Lubimy zatrzymywać się w przydrożnych knajpkach i próbować różności.

— Oj, duże ryzyko — zaśmiał się.

— Lubimy ryzyko — skłamała Dorota. Nie będzie przecież uchodzić za jakąś dziamdzię.

— Zanim siądziemy do stołu, pani Stasia wskaże paniom pokoje. Pani Stasiu, będzie pani tak miła? — Gospodarz uśmiechnął się do pani z recepcji. Dopiero teraz Ola zauważyła, że hol pałacu przerobiono na dyskretną recepcję hotelową. Gdyby nie wiedziała, że to hotel, trudno byłoby się tego domyślić. Przepiękne zdobienia na sufitach odrywały wzrok od podłogi, toteż o mały włos nie rozciągnęła się jak długa na purpurowej wykładzinie.

— O kurde — zaklęła cicho.

— Niech się pani nie krępuje, gości jeszcze nie ma i można czuć się swobodnie. Sama też czasami pomstuję na głos, zawsze to człowiekowi trochę ulży. — Pani Stasia musiała być radosną, kontaktową kobietą, bo szybko znalazły wspólny język.

— W takim ładnym miejscu? — Dorota chyba się zakochała w pałacowej aurze.

— Jak roboty od zatrzęsienia, to i zakląć czasami trzeba. Ale z najgorszym już się uporaliśmy, teraz już tylko takie głaskanie. Proszę, to są pokoje dla pań. Szef prosił przygotować dwa, bo nie wiedział, ile osób przyjedzie.

— Dwa? Ale po co dwa? Jeden nam wystarczy — Ola broniła się przed rozbiciem stada.

— Są połączone drzwiami. Jak je panie otworzycie, to będzie jak apartament. Z dwoma łazienkami — zachwalała pani Stasia.

— Skoro tak — uspokoiła się nieco Olka.

— Kolacja za pół godziny, mogą się panie rozpakować. Poproszę kierowcę szefa o przyniesienie bagaży.

— Nie trzeba, same po nie pójdziemy — zaczęła Ola, ale Dorota, krzywiąc się strasznie, dawała jej rozpaczliwe znaki. — No co ty! — szeptała konspiracyjnie, kiedy recepcjonistka zamknęła za sobą drzwi. — Zgłupiałaś? Ja ją targałam przed blok. Wierz mi, to robota dla faceta.

— I to silnego — zgodziła się Ola.

Otworzyły drzwi łączące pokoje. Oba były podobnie fantastyczne. Dorota podeszła do drzwi łazienki i je otworzyła.

— O, w mordę! Jak długo tu zostajemy? Chodź zobacz — Dorota miała zachwyconą minę i była bliska ekstazy.

Ostatnio tak nieziemską łazienkę Ola widziała w luksusowym hotelu, do którego zabrał ją Marcin. Gdy tam oddano jej wyprane i wyprasowane rzeczy, była na nich karteczka z nazwiskiem Marcina. Tam pierwszy raz zamarzyła, żeby stało się to faktem. Ale to było tak dawno... jakby w innym życiu.

Po chwili pod drzwiami zrobiło się małe zamieszanie. Do drzwi zapukał miły facet z szerokim karkiem, po czym gestem rozpaczy wskazał na wielki kufer Doroty.

— Macie panie wspólny bagaż? Do którego pokoju go wnieść?

— To moje rzeczy — Dorota przyznała się bez mrugnięcia. Kiedy napotkała zdziwione spojrzenie umęczonego kierowcy, wzruszyła ramionami i dodała: — No co? Tylko najpotrzebniejsze rzeczy.

— No tak — przytaknął zrezygnowany i podał jej kapelusze. Jakoś tak sam zgadł, że należały do niej. — A ta torba? — lekko podniósł Oli bagaż na wysokość oczu.

— To moja.

Uśmiechnął się do Olki i puścił do niej oko. Zakomunikował, że obrazy zaniósł do gabinetu szefa, auto zaparkował w garażu, a kluczyki zostawił w recepcji. Kiedy już nazachwycały się luksusami w pokojach, nadszedł czas na kolację.

Pan Krzysztof czekał na nie w holu wraz z elegancką młodą kobietą. Okazało się, że to jego córka Marlena, dekoratorka wnętrz. Bardzo miła (jak ojciec) i uśmiechnięta.

Kolacja była smaczna, ale bardzo odbiegała od standardu obiektu.

— Nie mamy jeszcze kucharza, kolację przygotowywałem razem z Karolem — tłumaczył się gospodarz. Karol to kierowca z szerokim karkiem i, co tu dużo gadać, chyba niezły kucharz.

Przy stole siedzieli wszyscy razem, jak jedna rodzina. Pani Stasia, elegancka dekoratorka Marlena, kierowca-gangster Karol, Olka i Dorota, ich gospodarz i jeszcze dwóch panów podobnych do kierowcy, którzy również okazali się pracownikami hotelu.

Widok muskularnych, ogolonych na zero obcych facetów troszkę Olę niepokoił, jednak miło było siedzieć i rozmawiać o różnych głupotach, głównie o tych z podróży przybyłych gości. Dorota, udając oburzenie (a może nie), nie mogła zrozumieć, co śmiesznego jest w kierowaniu się odwróconą mapą. Każdemu może się zdarzyć. Ola rozumiała ją doskonale. Albo w zaprogramowaniu nawigacji na jak najkrótszą trasę, nieomijającą dróg nieutwardzonych, zamiast na jak najszybszą. Dowiedziały się przynajmniej, że to dlatego omal nie wjechały do jeziora Niesłysz. Po kolacji pan Krzysztof zaproponował cygaro w gabinecie, co bardzo rozbawiło Dorotę, a Olce dało nadzieję na szklaneczkę jakiejkolwiek brandy. I owszem, brandy była, i to nie byle jaka. Przy drugiej szklaneczce opuściły ją wszelkie obawy, a przy trzeciej — poczucie realizmu. Rozmowę o interesach postanowili odłożyć na dzień następny.

Ola nie pamiętała, jak znalazła się w swoim łóżku. Kojarzyła tylko uczucie niepokoju, które towarzyszyło jej, gdy się przebudziła i zorientowała, że w pokoju obok nie ma Doroty. Kiedy rankiem siadła na łóżku, drzwi między pokojami były zamknięte, a na ciężkim dębowym stole leżała tabletka na kaca i karteczka z napisem „Lekkiego wstawania".

Matko kochana, ile ja wypiłam? — zastanawiała się. Posłusznie zażyła wspomagacz i poszła do łazienki. Porozrzucane przybory toaletowe świadczyły o tym, że niedawno z niej korzystała. Wzięła długą kąpiel, na tyle długą, na ile pozwoliła jej stojąca w drzwiach łazienki Dorota.

— No, księżniczko! Wyłaź już z tej wanny, bo dnia szkoda — wołała radośnie, wymachując kapeluszem.

To jednak do czegoś się przydał — pomyślała Olka, bo jakoś nie wyobrażała sobie kapelusza na głowie jego właścicielki.

— Dorota, nie narobiłam głupstw?

— Nie zdążyłaś. Po czwartej dolewce usnęłaś w fotelu. Chłopcy cię tu przynieśli, a ja pomogłam ci się wsunąć pod kołdrę. Fajnie było. Krzyś pytał, czy zawsze masz taką słabą głowę.

— Krzyś? To już zdrabniamy swoje imiona? — trochę się zaniepokoiła. — Matko kochana, już więcej nie będę piła.

— Ale mniej pewnie też nie? — zaśmiała się ze swojego dowcipu Dorota.

— Możesz śmiać się nieco ciszej?

— Piękny kac, po prostu piękny — pokiwała Dorota z udawanym uznaniem. — Wyłaź z tej wanny. Idziemy na śniadanie, a potem chłopaki mają nam pokazać okolicę.

Śniadanie zjedli w olbrzymiej kuchni. Nowe wyposażenie z satynowej stali lśniło w jasnym świetle słonecznym, gangster Karol uwijał się przy patelniach. Każdy, kto miał ochotę na jajecznicę, meldował, z ilu jajek da radę ją zjeść i na jaki sposób ma być przyrządzona. Potem dostawał ją razem z patelnią na kamiennej podstawce. Reszta śniadania czekała w postaci szwedzkiego stołu. W kuchni było gwarno i dość wesoło, co akurat dziś Oli specjalnie nie bawiło. Krzysia przy śniadaniu nie było. Podobno musiał zmienić plany i wyjechać gdzieś w interesach.

Przed południem Olka, Dorota i Marlena zostały obwiezione po okolicy. Zobaczyły jeszcze należące do firmy Krzysztofa dwa obiekty, z których żaden nie przypominał ich obecnego lokum. Były to raczej zwykłe motele, jednak o nieco wyższym niż zwykle standardzie. Wszędzie, gdzie się zjawili, oferowano im poczęstunek i wszyscy byli przesadnie mili. Na obiad wrócili do bazy. Dania przygotował kucharz, który — o ile się sprawdzi — będzie szefem kuchni. Obiad był pyszny.

— Jak się wam, dziewczyny, podobała okolica? — zapytał Krzysztof z uśmiechem. — Po obiedzie pokażę wam plażę.

— Chyba już ją znamy — zaśmiała się Ola na samo wspomnienie jeziora Niesłysz, nad które dotarły dzięki pilotowaniu Doroty.

— Myślę o naszej własnej. Tuż za parkiem. I nalegam, żebyście korzystały tylko z tej. Na miejscu znajdziecie wszystko, co do plażowania jest potrzebne. Musicie tylko wziąć kostiumy.

Po obiedzie, kiedy były gotowe do zażywania kąpieli słonecznych i zawiązywania sadełka po kulinarnych próbach nowego kucharza, pozbierały się wreszcie i posłusznie poszły za gospodarzem na wspomnianą plażę.

— Mieliśmy pogadać o obrazach — zagadnęła po drodze Ola, niepokojąc się już co nieco o intratny kontrakt. Nie miała żalu, że do tej pory nie rozmawiali o interesach, bo może i sposobność była, ale zabrakło świadomości…

— Co tu dużo mówić. Obrazy bardzo nam się podobają — zaczął. — Chłopcy mieli dziś za zadanie pokazać ci klimat pozostałych obiektów. Te, których nie widziałaś, wyglądają dość podobnie. Marlena podpowie ci może jeszcze tematykę, bo wspominała, że ma własne pomysły.

— OK. A ilu obrazów potrzebujesz?

— No cóż. Trochę ich potrzeba. Lenka — mówił czule o córce — omówi z tobą resztę. — Przerwał na chwilę i obdarzył ją uroczym uśmiechem. — A jeśli chodzi o koszty, to myślę, że się dogadamy.

Jasne — pomyślała. Oby tylko zapłatą nie był pobyt tutaj, bo o tak kosztownych wakacjach nie myślałam.

Dotarli do skraju parku. Dorota, która jak niecierpliwe dziecko cały czas szła z przodu i wiecznie ich ponaglała, teraz stała i nieruchomo gapiła się przed siebie. A było na co. Gdzie kończył się park, zaczynało się jezioro. Ostatnie drzewa rosły niemal w wodzie. Pomiędzy nimi drewniane molo wdzierało się w zielonkawą toń. Dość długie, szerokie, z ławeczkami, stolikami i przycumowanymi łódkami. Kawałeczek w prawo, nieco cofnięty w stronę parku, wciśnięty pomiędzy drzewa stał mały drewniany dom. Całość, skąpana w popołudniowym słońcu, sprawiała wrażenie ilustracji z ofert biur podróży.

— O cholera! — Dorota wreszcie przemówiła.

— O, widzę, że ci się podoba. W takim razie, dziewczyny, bawcie się dobrze — Krzysztof wręczył Dorocie klucz od domku. — Jak będziecie chciały popływać łódkami, w domku są kluczyki. Możecie też po kogoś zadzwonić. Telefon jest w środku. Jeśli chłopaki nie będą zajęte, z pewnością chętnie popływają z wami.

— Super! — Dorota znów cieszyła się jak małe dziecko.

— Aha! Nie przypalcie się za mocno. Wieczorem będzie impreza, przyjedzie kilka osób.

Krzysztof puścił oko do Doroty i powolnym krokiem ruszył do pałacu. Jeszcze przez chwilę patrzyły za nim. Był majestatyczny, a jednocześnie taki normalny.

Lniane spodnie lekko trzepotały, gdy szedł, a podwinięte rękawy luzackiej białej koszuli odsłaniały opalone ramiona. Dość wysoki, szpakowaty, o śniadej cerze. Na pewno podobał się kobietom.

— Co to było? — spytała Ola, kiedy oddalił się dostatecznie daleko, żeby mogły swobodnie rozmawiać.

— Co? — Dorota zrobiła niewinną minę.

— Już ty wiesz, co. Kiedy tylko wysiadłyśmy z auta, już coś się święciło.

— Niby co? Że pomylił mnie z tobą? Skąd miał wiedzieć, jak wyglądasz? — broniła się Dorota, ale jakoś tak mało zażarcie.

— E tam. Nie o to chodzi — skłamała. Trochę było jej przykro, że nie rozpoznał w niej artystki. Ale cóż, młodsza od niej koleżanka, choćby z powodu słuszniejszych gabarytów, szybciej wpadała w oko. I jeszcze te kolory, w których tak bardzo kochała się Dorota. Zawsze było łatwo wyłowić ją z tłumu. Zresztą one do radosnej i niemal zawsze uśmiechniętej matematyczki cholernie pasowały. Szarości i spłowiałe róże Olki, tudzież jej ukochane czernie, nie nastrajały aż tak optymistycznie. — Od razu wpadłaś mu w oko. Ten uśmiech od samych drzwi, ten kontakt wzrokowy... — ciągnęła.

— Proszę cię, Ola. Kontakt wzrokowy? Co ty pieprzysz? Czy widziałaś, żeby moje cycki miały oczy? — zaśmiała się. — Kontakt wzrokowy — prychnęła — też mi coś! Po prostu wpadły mu w oko moje walory. Jesteś na mnie zła? — spytała nagle wystraszona.

— Dorota, pogięło cię. Mam kaca. Łeb mnie boli tak... jak jeszcze nigdy.

— No, popatrz. To od drogich alkoholi jednak też boli głowa — zaśmiała się z przekąsem i zrobiła współczująca minę. — Choć, zajrzymy do tego domku, nie mamy z sobą nawet ręczników.

I nie musiały mieć. Wewnątrz drewnianego domku było absolutnie wszystko. Łącznie z kuchnią, łazienką i pięknym salonem z kominkiem. W kącie przy drzwiach wejściowych stały leżaki, kolorowe ręczniki piętrzyły się w pachnący płynem zmiękczającym stos. Obok stał koszyczek z olejkami, balsamami do opalania i kremami łagodzącymi poparzenia.

— Ola, ja tu zostaję! — Dorota dotykała ręczników i gładziła blat w kuchni. Po chwili zajrzała do lodówki. — Chcesz się czegoś napić? — spytała, biorąc do ręki butelkę. — Jest nawet piwo.

— Dawaj. Może po tym mi przejdzie.

Ze szklankami piwa siadły na progu otwartych drzwi. Widok był relaksujący. Popołudniowe słońce migotało ciepłym światłem na lekkich falach jeziora, które poruszały małym jachtem i łodzią motorową.

— Ola, myślisz, że on to wszystko ma z legalnych interesów?

— A co to za różnica? Pobyczymy się trochę i pojedziemy, a ja będę mu wysyłać obrazy pocztą albo kurierem. Mam nadzieję, że będzie mi płacił przyzwoicie. — Zamyśliła się.

— No, niby racja. Ale wiesz, jest taki fajny. Gdyby się okazało, że to jakiś mafioso...

— Chyba jednak nie. Takie hotele i knajpy przynoszą niezły dochód. Chociaż — zawiesiła głos, czym zaniepokoiła koleżankę — zobacz. Wszędzie jeździły z nami te chłopaki, wszyscy są dla nas tacy mili i traktują z rezerwą albo nawet strachem. Zupełnie nie wiem, co o tym myśleć. Patrz, nawet plaża jest ogrodzona. I to jak wysoko. Ciekawe, czy ogrodzenie jest pod napięciem — zaśmiała się, ale zaraz ucichła przerażona swoimi myślami.

— Ola… a jeśli to jest jakaś mafia? Dlaczego nie pozwolił nam iść na inną plażę? A może nam coś grozi? — Dorota puściła wodze fantazji. — Zobacz, te wielkie fury, pałac, w którym my jesteśmy jedynymi gośćmi. Dom na plaży, ogrodzenie pod napięciem…

— No coś ty! — Ola sprowadziła ją na ziemię. — Żartowałam z tym prądem. Może włażą im tu intruzi, przecież jest tu trochę kasy — rozglądała się dokoła. — Chodź, bierzemy leżaki i idziemy na pomost.

Popołudnie spędziły leniwie na plaży, rozkoszując się ciszą i dyskretnym śpiewem ptaków. I choć podejrzliwie zerkały na stalowy płot, w końcu świat przestał je denerwować, a z ich głów uleciały złe myśli.

*

Wieczór zapowiadał się ciekawie. Kiedy lekko już zgłodniały, schowały leżaki, zamknęły domek na plaży i spacerkiem ruszyły do pałacu. Wejście było pięknie oświetlone, mimo że jeszcze nie zapadł zmrok. Pod domem stał szereg aut, które są marzeniem zwykłych mężczyzn. Wszystkie wielkie i lśniące, z przyciemnianymi szybami. Na podjeździe aż roiło się od łysych facetów z szerokimi karkami, niemal wszyscy byli ubrani na czarno. Na ten widok Dorota chwyciła Olkę za przedramię, zatrzymała ją i przerażona szepnęła:

— Ola, to mafia. Mówiłam ci, mafia! Co teraz będzie?

— Co ma być? Pójdziemy się przebrać i może dadzą nam coś do zjedzenia. Konia bym zżarła. Tylko co ja na siebie włożę? — zatroskała się.

— A śmiałaś się z mojej walizki.

— Nie powiesz mi chyba, że masz w tym kufrze wieczorową kieckę.

— Wyobraź sobie, że mam — triumfowała Dorota.

Kilkanaście par ciekawskich oczu nagle skierowało się na dwie zmieszane kobiety. Na szczęście Olka i Dorota w tłumie mięśniaków wypatrzyły Karola, który podszedł do nich, by im asystować w przejściu między facetami w czerni.

— Szef prosił, by przekazać, że kolacja o dwudziestej. Panowie teraz siedzą w gabinecie i nie należy im przeszkadzać — wyrecytował, otwierając przed nimi drzwi.

Uchowaj Boże! — pomyślała Dorota i pociągnęła za sobą Olę. Za plecami usłyszały jeszcze komentarz:

— Kto to jest? Przecież miało nie być żadnych gości.

— To nie goście, to rodzina szefa.

Rodzina? No ładnie! Zostałyśmy członkiniami rodziny mafijnej — przeszło przez myśl przerażonej Dorocie.

Ola miała zupełnie inny problem. Zajrzała do swojej szafy. Dżinsy, biała koszula, czarne buty na obcasie. Całe szczęście, że wrzuciła je do torby. I to wszystko. Niczego innego nie wymyśli. Musi dorzucić jeszcze trochę uroku osobistego, jeśli tylko może go jeszcze z siebie wykrzesać. Teraz odprężająca kąpiel w pianie, mała renowacja fasady, parę kropel perfum i gotowe. Niczego więcej nie wyczaruje. Za to Dorota…

Stała w drzwiach w ciemnozielonej obcisłej sukience, a krągłości jej ciała były podkreślone przez dyskretny blask satyny. Upięte w kok włosy wypuszczały na odsłonięty kark niesforne kosmyki. Opalone, zgrabne nogi w nieziemskich wprost pantoflach, lekko przytupywały już ze zniecierpliwienia.

— Olka, pospiesz się. Jestem głodna i chyba nie wypada się spóźnić.

— Jestem gotowa.

— Już? Tak pójdziesz? — przeraziła koleżankę.

— A co? Tak nie mogę? Nie mam nic innego.

Stała na środku pokoju w obcisłych dżinsach, czarnych pantoflach na obcasach i białej koszuli bez kołnierzyka. Tylko małe falbanki przy rękawach mogły świadczyć o tym, że nie jest to szkolna bluzka na dni galowe. I... że nie jest męska.

— Ja pierniczę! Przecież wyglądamy jak para lesbijek, Ola. Tak nie możesz iść. Czekaj.

Przyniosła z pokoju piękny wisior z błyszczących kamieni, powiesiła go Oli na szyi, rozpięła dwa górne guziki bluzki i rozchyliła lekko jej brzegi.

— Będzie odwracał uwagę od tej grzecznej bluzeczki.

— Kto? — zaniepokoiła się Ola.

— No wisior. Przecież nie dekolt. Za wiele tam nie masz. Ale to nic, jesteś za to ślicznie opalona i super to wygląda z bielą — pocieszała ją odpicowana Dorota.

*

W holu hotelu pełno było mężczyzn i z wyjątkiem pani Stasi, dekoratorki Lenki, Doroty oraz Oli ani jednej kobiety. Nawet kelnerzy to sami faceci. Kolacja okazała się przyjęciem na stojąco, za to z fenomenalnym bufetem. Takiego jedzenia się nie spodziewały.

Drzwi do sali balowej, znajdujące się obok gabinetu właściciela, były już otwarte. Na wszystkich ścianach wisiały olbrzymie lustra. Każde z nich miało inną ramę i trudno było wskazać najładniejszą. Pod dość surowo pomalowanymi ścianami stały meble z różnych okresów. Ola dostrzegła w niektórych meblach secesyjne zdobienia i podziwiała je pomiędzy nakładaniem sobie na talerzyk kolejnych potraw. Panowie, którzy jeszcze do niedawna byli zajęci rozmowami w małych grupkach, teraz rozglądali się po suto zastawionych stołach. Zdawali się nie zauważać trzech kobiet kręcących się po sali.

Dorota nakładała na talerzyk niewielkie ilości smakołyków.

— Nie jesteś głodna? — Ola była zdziwiona jej zachowaniem.

— Po pierwsze, nie mogę zjeść za dużo, bo kiecka mi pęknie. Po drugie, lubię znać choć nazwy tego, co jem, skoro nie mam pojęcia, co to jest.

— Pielmieni w różowym szampanie — odezwał się z miłym uśmiechem kelner dostawiający następne półmiski — przypominają włoskie ravioli, ale to potrawa rosyjska. Te są nadziewane owocami i podawane w szampanie. To różowe to mus z łososia i szampana z dodatkiem kaparów, przyprawiony białym pieprzem, cytryną i koperkiem. Niektóre potrawy przywiozła firma cateringowa, w której pracuję, a resztę przygotował kucharz hotelowy — przystojny kelner ciągnął swoją opowieść. Był sympatyczny i chciał jeszcze troszkę poopowiadać o poszczególnych daniach, ale nagle zjawili się dwaj pracownicy hotelowi (chyba jednak ochroniarze), stanęli za Dorotą i spojrzeli znacząco. Kelner wycofał się z uśmiechem.

Pilnują, żeby nikt się nie obijał — pomyślała Ola. Na sali bankietowej nie było ochroniarzy ani kierowców gości. Dla nich był przygotowany poczęstunek w jadalni.

Tylko gangster Karol ciągle chodził za Lenką, a dwaj goryle za Dorotą. — Cholera! Oni pilnują dziewczyn, nie kelnerów — pomyślała Olka i rozejrzała się dokładnie w poszukiwaniu gospodarza. Stał z dwoma starszymi panami i cicho z nimi o czymś rozmawiał. Zdawało się, że nie zwracał uwagi na nikogo. A na pewno nie na dziewczyny, jednak czasami rozglądał się, jakby sprawdzał, gdzie jest Dorota, i uspokojony jej widokiem wracał do rozmowy. Mnie nikt nie pilnuje, pewnie rzeczywiście wyglądam na lesbę. Szlag! Chyba się jednak napiję.

*

Z drugą szklaneczką szkockiej (już bez lodu) Ola wyszła na taras. W ślad za nią natychmiast udał się jeden z pilnowaczy Doroty i dyskretnie stanął przy drzwiach.

Park wyglądał bajecznie. Aleja prowadząca od bramy wjazdowej była oświetlona po obu stronach rzędami stylowych latarni. Jasny żwir odcinał się od mroków parku, który specjalnie nie zachęcał do samotnych spacerów. Olka, lekko zawiedziona brakiem zainteresowania swoją osobą, nie miała ochoty na rozmowę z kimkolwiek, ale na spacer… i owszem. Zeszła z tarasu i nie odstawiając trunku, skierowała się na tyły pałacu, skąd wiodła znana jej już droga na plażę. I tam rzędy świateł wskazywały trasę.

A co tam, co może mi się stać? — pomyślała i nabrawszy odwagi po sporym łyku szkockiej, skierowała się na plażę. Szła tak przez dłuższą chwilę, aż weszła pomiędzy rozłożyste klony. Lampy świeciły, więc nie było ciemno, jednak potęga drzew napawała strachem. Nagle usłyszała chrzęst żwiru i przystanęła. Chrzęst nie ustawał. Odwróciła się gwałtownie gotowa do ucieczki. Po cholerę wkładałam buty na obcasach — pomyślała zła na siebie.

Obcasy pantofli zapadały się i o ucieczce nie było mowy.

— Pani Olu — dobiegł ją głos potężnego mężczyzny z tarasu. — Szef nie będzie zadowolony, jeśli się dowie, że pozwoliłem pani pójść na plażę.

— Dlaczego? Coś mi grozi? — nie rozumiała.

— Nie, ale szef bardzo dba o bezpieczeństwo swoich gości, a dziś pewnie szczególnie. Kazał nam pań pilnować.

— To znaczy, że nie mogę pójść na plażę? — nie ustępowała.

— Oczywiście, że pani może. Ale nie sama. Powinna pani powiedzieć szefowi.

— Był bardzo zajęty — próbowała się tłumaczyć.

Doszedł do niej i stanął twarzą do światła. Łysa czaszka lśniła w blasku latarni. Twarz miał sympatyczną. Ola spędziła już z nim kilka godzin i wiedziała, że mówią na niego Gruby. Zupełnie nie wiadomo czemu. Nie był gruby, tylko dobrze zbudowany. Wyglądał jak góra mięśni.

— Więc pójdę za panią. Szef urwałby mi łeb, gdyby się dowiedział, że pozwoliłem pani pójść samej.

— Skoro tak, zapraszam. Ale nie za mną, tylko ze mną — uległa połechtana wiadomością, że i o nią ktoś się troszczy.

Szli chwilę bez słowa, Gruby pewnie był przyzwyczajony do milczącej obecności w pobliżu ochranianych osób. Ola już nie miała wątpliwości, jakiego rodzaju pracę wykonują on i jego towarzysz. Próbowała nawiązać jakiś dialog.

— Długo już pan tu pracuje?

— Mam na imię Tomek. Czy długo? Nie wiem, czy dwa lata to długo, ale to moje najdłuższe zatrudnienie — odpowiadał nieco speszony.

— To jest pan, panie Tomku, zatrudniony w tym hotelu?

— Tak, jestem pracownikiem hotelu.

— Jako kto? — dociekała.

— Ochrona.

— Co tu chronić? — wierciła mu dziurę w brzuchu.

— Pani Olu, nie mogę pani wszystkiego powiedzieć — zaczął się wykręcać. — Gości, szefa i tak w ogóle.

— Aha — odpuściła. Dalej szli w milczeniu. Tylko żwir chrzęścił pod nogami i już widać było jezioro. Światła wzdłuż pomostu odbijały się w nieruchomej tafli wody. Weszli na pomost. Obcasy butów Olki wybijały głośny rytm na drewnianych deskach. Kroki jej towarzysza nie zakłócały tego rytmu, bo nie było ich słychać. Doszli do końca, do stojących naprzeciwko siebie dwóch ławeczek.

— Możemy siąść na chwilę? — spytała.

— Pani tu rządzi, ja tylko panią ochraniam — uśmiechnął się i wskazał na ławkę.

Siadła i z ulgą zdjęła buty. Założyła nogę na nogę i próbowała rozmasować stopy.

— Jak ja nie lubię wysokich obcasów.

— To po co pani wkłada takie buty? — zapytał zupełnie serio.

— Mało, że wyglądam jak facet, to jeszcze miałam włożyć trampki? — Wstała, boso podeszła do brzegu pomostu, podwinęła nogawki i siadła. Chłodna woda złagodziła poodciskane stopy i przyniosła spodziewaną ulgę. Olka machała nogami i robiły się małe bryzgi. Nagle przestała i podkuliła nogi.

— Co się stało? — zdziwił się ochroniarz.

— Nic, tylko przypomniałam sobie film *Szczęki* — zaśmiała się z własnej głupoty. Znów chlapała w wodzie.

— Rekina to tu na pewno nie ma — siedząc na ławce, patrzył w gwiazdy i jakby od niechcenia dodał: — Ale rok temu wielki węgorz odgryzł komuś duży palec u stopy.

W jednej chwili Olka skoczyła na równe nogi i już stała koło Tomka. Ten roześmiał się głośno i uderzał dłońmi o swoje uda. Ola spojrzała na wielkie cielsko trzęsące się ze śmiechu i też się roześmiała.

— Ale się wystraszyłam — przyznała.

— Ale za to się pani wreszcie śmieje. Nie wiem, czemu jest pani taka smutna.

— Smutna? Nie, wydaje się panu. — Jednak miał rację. Była smutna i też nie wiedziała dlaczego.

Przecież wszystko gra — pomyślała — transakcja jest już prawie dogadana, dobrze się z Dorcią bawię, troszkę odpoczęłam. Więc o co chodzi? No właśnie, o co? — tego sama nie wiedziała.

— Pani Olu, proszę siąść naprzeciwko — wskazał jej ławkę — i podać mi stopę. Może być z resztą nogi — mrugnął do niej.

— Co? — spytała zdziwiona, ale napotkawszy jego zdecydowane spojrzenie, natychmiast siadła i posłusznie wyciągnęła nogę.

Chwycił jej stopę w ciepłe, wielkie dłonie i zaczął masować. Bardzo profesjonalnie. Oparła się o ławkę, odchyliła głowę i przymknęła oczy.

— O matko kochana — westchnęła — gdzie się pan tego nauczył?

Tomek uśmiechnął się pod nosem.

— Wszyscy myślą, że jak facet jest wielki i umięśniony, to może być tylko ochroniarzem, bramkarzem w klubie albo bandytą — zawiesił głos. — Skończyłem fizjoterapię na AWF-ie, jestem też masażystą.

— I to doskonałym — pokiwała z uznaniem głową.

— Chyba niezłym, szef tylko mnie pozwala się masować — powiedział wyraźnie zadowolony.

— To dlaczego tu pracujesz? — nagle przeszła z nim na ty.

— To świetna praca. Dobrze zarabiam, mam w pałacu gabinet masażu, a pracy w zawodzie i tak nie mogłem znaleźć. Może kiedyś zarobię na własny gabinet. Na razie mi to bardzo pasuje. — Delikatnie odstawił jej nogę. — Teraz druga.

Ola patrzyła na błyszczącą czaszkę Grubego i zastanawiała się, w jaki sposób Krzysztof dobierał ludzi.

— Ty jesteś fizjoterapeutą, mogę mówić ci po imieniu? — spytała bez ogródek. — Karol świetnie gotuje, co więc potrafi robić Andrzej?

— On jest świetny w tym, do czego został zatrudniony. Przy nim nie trzeba się naprawdę niczego bać. Trenuje różne sztuki walki i potrafi wyczuwać niebezpieczeństwo. Jakby miał dar jasnowidzenia — zamyślił się, lecz nie przestawał masować. — Ale proszę spytać Karola o poezję. Dużo czyta i przypuszczam, że także pisze. Ale się nie przyzna. Udaje twardziela. A gotuje rzeczywiście świetnie. Skończył technikum gastronomiczne.

Nie wiedziała, co ma powiedzieć, była szczerze zaskoczona tym, co tu usłyszała. Siedziała grzecznie na ławce z wyciągniętą nogą i przypatrywała się światłu odbijającemu się od łysej głowy Tomka.

— Pani Olu, nie chcę być niegrzeczny ale... — kolistym ruchem pomasował jedno miejsce na podeszwie jej stopy. — Czuje pani?

— Au, boli. Ale dlaczego? — zapytała zdziwiona.

— Niech pani tyle nie pije. To pani szkodzi. Nie ma pani głowy do picia i wątroby niestety też nie.

Zawstydziła się nieco i odsunęła od siebie pustą już szklaneczkę. Poczuła się, jakby dostała reprymendę od nauczyciela albo raczej od swojego taty, bo poczuła się wyjątkowo podle.

— Nie będę. Nawet nie wiem, po co to robię — skłamała. Postawiła stopy na deskach pomostu i głęboko westchnęła.

— I wcale nie wygląda pani jak facet — powiedział lekko zażenowany. Wstał, sięgnął po jej buty, ustawił je przed nią i spytał: — Wracamy? Mogę panią ponieść — zaproponował z uśmiechem.

— Nie, jestem za ciężka — wystraszyła się, że rzeczywiście będzie chciał ją nieść. To byłaby nic zła heca.

— Nie jest pani ciężka, raz już sprawdziłem — zaśmiał się.

O matko kochana, ale poruta! — teraz dopiero zrobiło jej się głupio. — To on zaniósł mnie pijaną do pokoju.

Dobrze, że było ciemno, bo czuła, że spurpurowiała jak piwonia na Boże Ciało.

— Rany, Tomek. To ty mnie niosłeś pierwszego wieczoru do pokoju. Ale mi wstyd! — plątała się.

— Po prostu usnęła pani w fotelu.

Wsunęła pantofle na nogi i uśmiechnęła się od ucha do ucha. Stanęła na baczność, podniosła dwa palce jak do przysięgi.

— Obiecuję, że się poprawię. Teraz możemy już wracać.

Szli oświetloną aleją i gawędzili o masażach, tai-chi, siłowni, o ziołowych naparach. Bankiet w pałacu trwał w najlepsze, a oni poszli do kuchni, gdzie Tomek zaparzył herbatkę z ostropestu plamistego na dolegliwości wątroby, potem siedli na schodach tylnego wejścia i popijając ziółka, patrzyli, jak pierwsi goście, lekko się zataczając, wsiadali (a raczej byli ładowani przez kierowców) do swoich wypasionych bryk.

*

Ola spała jak zabita. Dawno już nie obudziła się taka wypoczęta. Dzień zapowiadał się ciekawie, bo umówiła się z Tomkiem, że jeśli będzie wolny i szef nie będzie miał nic przeciwko, zrobi jej masaż.

Spojrzała przez otwarte drzwi do pokoju obok. Doroty tam nie było, a i w łóżku chyba też dziś nie spała. Przynajmniej nie w swoim…

No tak. Ta potrafiła się zakręcić. A ja miałam masaż stóp i ziółka na wątrobę. Psia mać! — Olka zaklęła w duchu. Jednak nie była zawiedziona. Dorota, znacznie od niej młodsza, szukała swojej drogi w życiu. Olka jedną już przeszła. A druga była dla niej zbyt długa i ciernista. Trzecia okazała się krótsza, ale zupełnie nieciekawa. Teraz wybrała drogę, którą zamierzała przemierzyć sama. Przynajmniej na to się zanosiło.

Leżała i patrzyła na ścianę, na której odbijał się delikatny wzór firanek, prześwietlanych przez promienie wschodzącego słońca. Uchylone okno pozwalało wiatrowi ruszać misternymi koronkami i słoneczne wzory tańczyły na ścianie.

Nagle drzwi do pokoju Doroty otworzyły się cicho. Koleżanka, trzymając pantofle w rękach, na palcach przeszła obok otwartych na oścież drzwi łączących oba pokoje i zrzuciła sukienkę na podłogę. Niemal bezszelestnie wśliznęła się pod kołdrę. Ola udawała, że śpi. Nie chciała z samego rana narażać koleżanki na stres i przepytywanki.

Niech najpierw opracuje swoją wersję — Ola uśmiechnęła się do swoich myśli i znów usnęła.

Kiedy południowe słońce minęło już ich okna i oświetlało front domu, obie kobiety zaczęły krzątać się po pokojach.

— Jak spałaś, Dorcia?

— Jak niemowlę. Gdy wróciłam, ty już spałaś, nie chciałam cię budzić — tłumaczyła się.

No jasne. Niemowlę. Tylko ciekawe, kto cię utulił do snu? — pomyślała.

Dorota nie chciała ciągnąć tego krępującego tematu i szybko spytała:

— Co dziś robimy?

— Wracamy do domu? — Olka chciała sprawdzić jej reakcję.

— Już? — zaniepokoiła się Dorota. — Możemy przecież jeszcze zostać — niemal prosiła.

— Nie wiem, jeśli Krzysztofowi nie spieszy się z tymi obrazami, to ostatecznie możemy jeszcze zostać. Fajnie tu jest — przyznała. Sama chętnie by jeszcze została, jednak nie chciała nadużywać uprzejmości gospodarza. Dorota odetchnęła z ulgą.

*

Siedziały z kubkami kawy na schodach tarasu i nic do siebie nie mówiły. Ola rozpamiętywała masaż, który zaserwował jej Tomek jeszcze przed obiadem. Trochę krępowała się stanąć w bieliźnie przed facetem nieco starszym od jej syna, ale pomyślała, że to przecież fizjoterapeuta, więc w końcu... Masaż postawił ją na nogi. Nawet nie myślała, że wszystkie mięśnie karku i pleców miała tak pospinane. To dlatego bolał ją kręgosłup i czasami głowa. Teraz siedziała lekko obolała na schodach i z uczuciem lekkości w plecach.

Dorota też rozpamiętywała... masaż. Może nieco inny, ale równie ożywczy. Patrzyła przed siebie i wzdychała.

— Pięknie tu, co? Nie to co w mieście. Szkoda, że to nie jest nieco bliżej domu. Można by tu czasem wpadać.

— Myślisz, że jeszcze nas tu zaproszą? — spytała Ola.

— A czemu nie? Przecież jesteśmy urocze, miłe, mamy poczucie humoru i wszyscy nas lubią — Dorota parsknęła śmiechem. — Może nie?

— Faktycznie, ładnie tu — zgodziła się Ola — tak dostojnie. I nie wpadłabym na to, że za parkiem jest jezioro. Wcale go stąd nie widać.

— Z góry widać — Dorota upiła łyk kawy i dopiero teraz zdała sobie sprawę, że się wypaplała.

— Z jakiej góry? — podchwyciła wątek Ola.

— O matko, byłam w apartamencie Krzysia. Stamtąd widać jezioro. W ogóle… ładny widok.

— No, ja myślę. Pewnie nie tylko na okolicę — zaśmiała się frywolnie i klepnęła Dorotę w ramię. — Ty to się umiesz zakręcić. Ale chyba od początku miał na ciebie oko, co?

— No. Chyba — chichotała. — Ale co? Nie można?

— Czy ja mówię, że nie? Byle rozsądnie.

Fajnie z sobą wyglądają — wyobrażała sobie Dorotę i Krzysztofa jako parę. — Ona nieco pulchna, bardzo kobieca, ciągle uśmiechnięta i zawsze odstrzelona jak do ośpic. On dostojny, znacznie od niej starszy (choć to wcale nie przeszkadza), na bankiecie wodził za nią wzrokiem, jakby bał się, że o północy dziewczyna zniknie mu jak Kopciuszek, zostawiając tylko odjazdowy pantofel na schodach tarasu. Przy obiedzie nie spuszczał z niej oczu i ciągle pytał, czy jej smakuje. Jakby tylko jej zdanie było dla niego ważne. Choć Dorcia wygląda na degustatorkę — złośliwa myśl sama się jakoś tak Oli napatoczyła. — Świnia jestem i chyba do tego zazdrosna.

Po południu Tomek i Andrzej zostali zobowiązani do zorganizowania dziewczynom wycieczki łodzią motorową po jeziorze Niesłysz. Dzień kończył się przyjemnie, zwłaszcza po tym, jak Krzyś powiedział, że skoro Oli pomógł masaż, to musi wziąć serię przynajmniej pięciu, a zatem muszą zostać jeszcze minimum cztery dni. Mówiąc to, błagalnie patrzył na Olę. Co miała robić, przecież obojgu zabujanym chodziło dokładnie o to samo. Tak więc nabierała sił, chodziła na masaże, pijała ziołowe herbatki i, o dziwo, unikała trunków. Każdego dnia czuła się lepiej i z coraz większym optymizmem myślała o zakręconej parze. Bała się tylko, czy nie jest potrzebna Michałowi i Robertowi, lecz ci się nie odzywali.

Czwartego dnia absolutnej sielanki zadzwonił Max.

— Jak rozumiem, musi być wam tam bosko, skoro się nie odzywacie do stęsknionego kumpla. — Oli zrobiło się głupio, wysłały mu tylko SMS-a, że dotarły i wszystko jest w porządku. — Ale może czas już wracać?

Ola nie miała sumienia podać mu przyczyny tak długiego pobytu, więc musiała lawirować.

— Stary, tu jest absolutnie bosko i dopóki nas nie wygonią, to jeszcze się pobyczymy. Wyobraź sobie: jezioro, jacht, motorówka, park, przecudny pałac, masaże i kapitalne wprost żarcie.

— Przyjedziesz gruba — próbował jej dokuczyć.

— Mam zamiar najeść się na zapas — nic sobie z tego nie robiła. — W domu będę się odchudzać.

— Jeśli jest tak wykwintnie, to lepiej napij się na zapas. Zaoszczędzimy na trunkach — śmiał się do słuchawki.

— Nie jestem wielbłądem… i już nie piję — zakomunikowała z dumą.

— Co? Chyba się przesłyszałem — nie mógł uwierzyć.

— Znaczy, na razie. Chodzę na masaże i piję ziółka na wątrobę — chwaliła się swoim zdrowym trybem życia.

— Olka, lepiej wracajcie. Nie chcę cię innej. Nie zniosę zbzikowanej, niepijącej nauczycielki neurotyczki. Powiedz mi jeszcze, że Dorota przestała jeść?

— No chyba żartujesz. Tylko ona spala te kalorie dość szybko — ugryzła się w język i, zła sama na siebie, postukała się palcem w czoło.

— A to czemu? Zaczęła nagle biegać?

— Dobry żart. To młoda koza, spala szybko, więc jej tłuszczyk tak łatwo się nie odkłada. No i nie rąbie tyle słodkości, które tak namiętnie pichciliście, tylko podtyka je mnie. — Nie wiedziała, jak wybrnąć z tego swojego gadulstwa. — Zresztą, co mnie męczysz. Sam do niej zadzwoń.

— Dzwoniłem. Kilka razy. Nie odbiera — miał zawiedziony głos.

— Nie nosimy z sobą telefonów, może nawet nie wie, że dzwoniłeś. Powiem jej, żeby się do ciebie odezwała. — Z ogromną ulgą zakończyła rozmowę, nie wiedziała, co mówić, bo ciągle nie miała pojęcia, co jest grane między nimi.

*

Czekała na Tomka na pomoście. Obiecał zabrać ją na ryby. Ola nigdy nie łowiła ryb, nawet nie wiedziała, jak to się robi. Dorota popłynęła z gospodarzem jego zabawką, jak nazywali luksusowy jacht pracownicy hotelu. Wszyscy, bo każdy facet to tak naprawdę wciąż chłopiec. Tylko cena jego zabawek z czasem znacznie wzrasta.

Dość długo ich nie było, co specjalnie nikogo nie dziwiło, a nawet wszyscy wydawali się z tego zadowoleni. Ich romans nie był już tajemnicą.

Nawet Lenki, która zresztą zjawiała się dość rzadko.

Kiedy Olka zarzuciła już wędkę z zahaczonym robakiem, postanowiła pociągnąć Tomka za język.

— Powiedz mi Tomek, jak to możliwe, że taki miły, przystojny i zamożny facet jak twój szef jest sam. Ej, a może nie jest?! — wystraszyła się.

— Nie był sam. Rozwiódł się — Tomek nie specjalnie chciał o tym mówić.

— No tak. Ma przecież córkę Marlenę — zreflektowała się. Nadzieje, że Tomek chętnie zacznie plotkować, okazały się płonne. Siedział i gapił się na spławik. Nie zamierzał ciągnąć tematu i próbował odwrócić jej uwagę. Krzyś dobrze dobierał pracowników.

— Pani Olu, chyba coś bierze — wskazał na drgający spławik.

— Matko kochana, co mam robić? — panikowała. Od spławika rozchodziły się nerwowo zauważalne kręgi.

— Jeszcze nic. Teraz niech pani lekko podetnie.

— Co? — nie rozumiała. Trzymała wędzisko jakby za karę.

— Gwałtownie, ale nie za mocno szarpnie wędziskiem. — Odłożył swoją wędkę i pokazywał jej gestami, co ma robić.

— Czym? — nie rozumiała.

— Tym kijem.

Szarpnęła. Teraz kazał jej kręcić kołowrotkiem, powoli. Kręciła. Czuła lekki opór. Potem miała unieść wędzisko. Uniosła. Na końcu żyłki wisiała… ryba.

— Złapałam, złapałam! — cieszyła się jak dziecko. — Moja pierwsza w życiu ryba. Co teraz? — patrzyła na dyndającą zdobycz. Panika ustąpiła miejsca dumie.

Tomek złapał za żyłkę i zdjął niewielką rybkę z haczyka. Zahaczył nowego robaka i kazał zarzucić ponownie.

— Fajne to łowienie — przyznała i spróbowała pociągnąć temat Krzysztofa: — A dlaczego się rozwiedli? — Tomek milczał jak ta ryba w wiaderku, jednak Ola nie dawała mu spokoju: — Zrozum mnie, ja ją tu przywiozłam. To moja dużo młodsza koleżanka ze szkoły, to znaczy z pracy. Czuję się niejako za nią odpowiedzialna. Nie chcę, żeby wpakowała się w jakieś nieszczęście, w jakąś nieszczęśliwą, nieodwzajemnioną miłość…

— Nieodwzajemnioną? Pani Olu. Szef stracił dla niej głowę. Dawno go w takim stanie nie widzieliśmy. Kobiety od dawna wcale go nie obchodziły. No może niezupełnie, to w końcu facet w sile wieku — zawiesił głos. — To świetna partia i okoliczne łowczynie o tym wiedzą. Co jakiś czas któraś z nich próbuje go podejść. Bez efektów — rozłożył ręce w wyrazie bezradności. — Przynajmniej nie takich — uśmiechnął się pod nosem.

— Więc rozumiesz, że pytam z troski o nią?

— Jasne. Ale gwarantuję, że szef nic złego jej nie zrobi. To dobry człowiek.

Tym stwierdzeniem uciął rozmowę i najwyraźniej nie zamierzał zdradzać tajemnic swojego mocodawcy. Ola już więcej nie próbowała. I tak niczego by nie zmieniła. Dorota nie sypiała w swoim pokoju, przynajmniej nie zasypiała w nim wieczorem. Bo rano zwykle budziła się w pokoju i nawet nie zamierzała tłumaczyć się koleżance, jak to robi. Obie dobrze się bawiły, Ola łowiła małe rybki, Dorota… No cóż, może nawet wieloryba.

Wieczorem małe rybki Olki w cudowny sposób przemieniły się w cały półmisek przygotowany przez kucharza.

— Co to? Kana Galilejska? — zdziwiła się Ola na ten widok.

— Mówisz o miejscu przemienienia wody w wino, ale myślisz pewnie o historii nakarmienia tłumów pięcioma chlebami i dwoma rybami na brzegu Jeziora Galilejskiego — poprawiła ją oblatana w Ewangelii Dorota. Ola nie potrafiła zrozumieć jej fascynacji wiarą.

— No właśnie — Krzyś się uśmiechnął. — To musiał być jakiś cud — mrugnął do Karola.

Kolacja wszystkim bardzo smakowała. Choć Karol musiał najpierw kupić ryby od rybaka, zgodnie utrzymywano, że wszystkie złowiła Ola. Czuła się jak bohater dnia.

*

Nadszedł dzień powrotu. Ola już trochę tęskniła za domem, za ogrodem, za swoimi zwykłymi sprawami. Cieszyły się nawet na drogę powrotną, tym bardziej że gangster Karol miał im asystować tak długo, aż nie wyjadą na główną trasę. A to może być niezły kawałek. Kucharz przygotował im spory kosz piknikowy z przysmakami. Nic dziwnego, że znalazły się wśród nich te, które Dorota lubiła najbardziej. Po serii uścisków, podziękowań i zapewnień, że jeszcze przyjadą, wsiadły wreszcie do auta. Gospodarza przy pożegnaniach nie było, musiał wyjechać w interesach, ale pożegnali się poprzedniego dnia. Znaczy Krzysztof z Olą. Z Dorotą żegnanie zeszło mu do rana.

Kiedy Olka dziękowała za gościnę, Krzysztof koniecznie chciał jej zapłacić za przywiezione obrazy, na co absolutnie się nie zgodziła. Ustalili więc termin nadesłania kolejnych prac i stawkę, z której Ola była bardzo zadowolona.

Jechanie za terenówką było łatwe i dziewczyny miały nadzieję, że również resztę drogi pokonają bez problemów. Tuż przed rozjazdem Karol zatrzymał wóz i pożegnał się z nimi raz jeszcze. Czuły, jakby żegnały bliskiego przyjaciela.

Wracając do domu, nie miały ochoty na zwiedzanie miejsc, które obiecały sobie zobaczyć w drodze powrotnej. Nawet nie rozmawiały za wiele. Obie były zatopione w rozmyślaniach. Każda z nich myślała zupełnie o czymś innym. Ola o pracy, jaka ją teraz czeka, o Robercie i Michale, o malowanych podwórkach. Dorota wspominała minione dni i uśmiechała się do swoich myśli. Ani przez chwilę nie żałowała decyzji o towarzyszeniu Oli w tej podróży. Wakacje były dzięki temu naprawdę upojne. Pod powiekami wciąż miała obraz przystojnego Krzysia, a w uszach ciepły ton jego głosu. W sercu chyba też się trochę namieszało.

Kosz piknikowy wypełniony smakołykami powoli odsłaniał swoje dno. Jednak były już blisko domu i jadły tylko z łakomstwa. Na spodzie leżało pudełko z owocami, a pod nim biała koperta.

— Ola, to do ciebie — Dorota podała jej podpisaną przesyłkę.

— Do mnie? — Olka szczerze się zdziwiła i wzięła do rąk kopertę. Otworzyła. W środku były tysiąc złotych i kartka: „Zapłata za obrazy. Dziękuję, K.P."
— Hm, Dorota, nie chciałam brać tej forsy. Przecież miałyśmy superwakacje. Cholera! — czuła się z tym niezręcznie.

— Przestań, Ola. Gdyby nie miał, toby ci ich nie dał — skwitowała krótko. Była radosna, zadowolona i uśmiechnięta. Co w przypadku Doroty specjalnie nie dziwiło. Ale jednak coś nie dawało Oli spokoju. Coś się zmieniło.

*

(Nowa wiadomość).
Już wróciłam. Tęskniłam za domem. Nawet... za tym pisaniem. Ale to był fajny tydzień i chyba naprawdę wypoczęłam. Chodziłam na masaże, piłam ziółka i zastanawiałam się nad własnym życiem. Choć może powinnam pomyśleć o życiu Doroty... trochę chyba w nim namieszałam. Pojechała tam ze mną dla towarzystwa i zakochała się. Tak myślę. Boję się tylko, że facet może nie jest aż tak bardzo zainteresowany. Jest przystojny i nadziany, ale może nie myśli o niej serio. A wyglądało to dość poważnie. Kiedy wyjeżdżałyśmy, dał mi tysiąc złotych, niby za obrazy, tyle że poczułam się jak burdelmama, jakbym sprzedała Dorotę. Miałyśmy świetny tydzień, a on mi jeszcze za to zapłacił. Źle mi z tym.
Dorota jest taka szczęśliwa. Coraz częściej zauważam szczęście innych... Czemu mnie ono zawsze omija? Dlaczego całe życie mam pod górkę? Czemu na mojej drodze nie stanie ktoś... taki jak Ty? Czemu zszedłeś z mojej drogi?
(Wiadomość zapisano w kopiach roboczych).

Sporo już tych kopii roboczych — pomyślała. Ale z każdą następną napisaną a niewysłaną wiadomością czuła się coraz lepiej.

Obiecała Michałowi, że po powrocie zadzwoni i opowie, jak było, a on w zamian zrelacjonuje, co słychać w firmie. Już po jego głosie zgadywała, że coś się wydarzyło.

— Wyobraź sobie, Ola, że szef zaproponował mi spółkę — nie wytrzymał Michał i zameldował przez telefon. — Uwierzyłabyś?

— Michał, człowieku! Tylko tobie mógł to zaproponować. Nie znam lepszego kandydata.

Nie była zaskoczona tą wiadomością. Michał pokazał, na co go stać. Wszyscy doskonale o tym wiedzieli i już podczas nieobecności Roberta traktowali Michała jak zastępcę szefa.

Szykowali kolejne podwórko i tym razem Michał miał dla Oli zdjęcia kamienic. Przesłał je mailem i prosił o jakiś pomysł. Potem mieli się spotkać, już we trójkę. Michał, Robert i Ola.

*

— Opowiadaj, Olka, jak było — Max zdegustowany zaparzał w kubku przyniesione przez Olkę zioła. — Naprawdę tak byłyście zajęte, że nawet nie miałyście czasu zadzwonić?

— Max, było bosko. Wielki park, pałac, jezioro, prywatna plaża z domem na niemal samym brzegu. Mogłeś jechać. Proponowałam — spoglądała spod przymkniętych powiek. — Trochę się bałam, że to jakaś mafia, bo wciąż pilnowali nas ochroniarze. — Ogrzewała dłonie o gorący kubek. — Potem się jednak okazało, że jeden jest fizjoterapeutą z dyplomem magistra, drugi doskonałym kucharzem i do tego pisze wiersze. Odjazd! Nie?

— I tak długo ubijałaś interes? — Max wciąż miał fochy.

— Wiesz, pierwszego dnia... zaszkodziła mi kolacja. — Jakoś głupio było jej przyznać, że zwyczajnie się urżnęła i usnęła w fotelu. Jak stara ciotka alkoholiczka. — Potem pokazali nam plażę… No i wpadłyśmy. Żal było nie skorzystać, tym bardziej że zaserwowano mi masaże lecznicze i pojenie ziołami. Te zioła mogli sobie darować, choć muszę ci powiedzieć, że można się przyzwyczaić. — Dmuchała na parujący napar.

— No widzę właśnie. Chyba ci już tak nie zostanie? — spytał z nieukrywaną obawą.

— Co ty. Jeszcze tylko parę dni. Muszę trochę podreperować wątrobę. Podobno nie jest w najlepszym stanie.

— To pewnie nie chcesz spróbować czegoś słodkiego.

— A jest z alkoholem? — spytała z nutą nadziei w głosie.

— Niestety, nie. Ale spróbuj, Dorota nie chciała — w jego głosie dało się wyczuć niepokój.

— Co takiego? Nie chciała? — niedowierzała.

— No właśnie. Czy czasami ktoś jej nie nagadał jakichś bzdur o tuszy? Nigdy nie odmawiała bitej śmietany.

— To prawda — zamyśliła się. Oli wydawało się, że okrągłe kształty Doroty bardzo przypadły Krzysztofowi do gustu. Dawał temu kilkakrotnie wyraz. Dorota co prawda chciała schudnąć, jednak nic w tym kierunku nie robiła. Ale żeby odmówiła zjedzenia bitej śmietany? — To do niej niepodobne — zaniepokoiła się.

*

Dni mijały Oli na malowaniu. Pracowała nad jedwabiami, a w przerwach planowała kolejne podwórko.

Oczywiście, przede wszystkim projektowała motywy graficzne, choć coraz częściej zapuszczała się także w nieswoje rewiry. Coraz większą frajdę sprawiało jej dopasowywanie roślin. Rysowała je na osobnych kartkach, wycinała i przykładała w coraz to inne miejsca. Co prawda Tyci próbował przekonać ją, że dużo łatwiej zrobić to na komputerze, ona jednak trzymała się swoich sposobów. Tak do końca nie wierzyła w te cuda techniki. Do tego nie trzeba było być artystką... a ona nią była. Lubiła się tak czuć i nie dała sobie tego odebrać.

Na spotkanie w sprawie nowych projektów umówili się we troje, w siedzibie firmy.

— Panowie — zaczęła z uśmiechem na ich widok — gratuluję wam obu. Tobie, Michał, bo zasługujesz na awans jak nikt inny. A tobie, Robert, bo nie znalazłbyś na to miejsce nikogo lepszego — ściskała obu po kolei.

— Wiem. I już jest mi lżej — Robert podsunął jej krzesło, a Michał tymczasem nastawiał ekspres z kawą.

Mieli do omówienia kwestię nowego podwórka w Poznaniu. Klient miał swoje oczekiwania, głównie co do kolorystyki, więc Olka będzie musiała zmienić kilka detali. Projekty, które przygotowała, zostały zaakceptowane, więc delikatnie próbowała podsunąć swoje pomysły na dobór roślin. Oczywiście, Robert natychmiast posłużył się specjalnym programem do aranżacji ogrodów i w kilka minut z jej wycinanki stworzył gotową wizualizację.

— No, Ola. Jeszcze trochę, a zupełnie nas wyręczysz — Robert nie ukrywał podziwu.

— E tam. Michał mnie dużo nauczył. — Miło było usłyszeć pochwałę, ale obawiała się, że może za bardzo narzuca swoje pomysły.

— Coś mi się wydaje, że powinienem częściej wyjeżdżać — zaśmiał się Robert. — Wkrótce faktycznie będę musiał.

— Jedziesz po Alę? — Michał był już z byłym szefem na ty.

— Tak. Przewiozę ją do jej mamy. Musi mieć opiekę — wydął wargi i powoli wypuścił powietrze.

Nie ciągnęli go więcej za język, bo wyraźnie nie chciał o tym mówić. Ola wiedziała od Marylki, mamy Michała, że Robert bardzo chciał być z Alicją. A kiedy się dowiedział, że Alicja jest w ciąży, wprost szalał z radości. Ale ona chyba jednak miała inne plany na życie. Kiedy byli z sobą, Robert rozkręcał interes. Na początku szło marnie. Nie było łatwo wejść na już nieźle zapchany rynek ogrodniczy. Alicja chciała wyjechać do Niemiec, gdzie jej rodzina miała im pomóc na starcie. Robert już zainwestował swoje pieniądze i trochę zadłużył się w bankach. Ona powtarzała, że nie będzie żoną faceta, który tylko kosi trawniki. Wyjechała. On miał dojechać do niej za parę miesięcy, bo znalazł chętnego na swoją młodą firmę i musiał sfinalizować jej sprzedaż. Nie zdążył. Zanim Zuzia przyszła na świat, Alicja była już żoną innego. Robert widywał czasami córkę, ale nie miał z nią specjalnie dobrych relacji. Dla Zuzi był tylko obcym, który nie wiadomo czemu ją odwiedza. Więc przestał. Nie chciał mieszać dziecku w głowie. I tak już zostało. Trzymał się z dala, ale obiecywał sobie, że kiedyś to się zmieni. Nie sądził jednak, że sprawy przybiorą tak tragiczny obrót.

— Kiedy jedziesz? — spytała.

— Za trzy dni. Ale najpierw musimy razem zjeść kolację — spojrzał na oboje.

— Na mnie nie liczcie — delikatnie wycofywał się Michał — troje to już tłum. Zresztą, mam inne plany, sorry.

Umówili się więc na kolację tam gdzie zwykle.

*

Po południu wpadła Dorota. Siadła przy stole, na którym były rozłożone farby do jedwabiu, i poprosiła o herbatę. Najlepiej rumiankową.

— A tobie co? — zaniepokoiła się Olka.

— Nic, tylko coś mi zaszkodziło. Za dużo tych słodkości. Jak ci idzie z obrazami?

Ola zaparzyła ziółka, odsunęła nieco farby i postawiła kubki na stole.

— Mam już szkice... To było chyba najtrudniejsze. Nie wiedziałam, od czego zacząć, przecież samych motyli nie będę malować. Teraz to już tylko przyjemność.

— Ola, chodźmy z tym piciem na taras, te farby jakoś śmierdzą. — Dorota zabrała oba kubki i ruszyła ku wiecznie otwartym drzwiom tarasu. — Ładnie tu masz. Ty to masz dobrze — westchnęła. — Ja muszę kisić się w tym pudełku na czwartym piętrze i przy każdej wędrówce po schodach zgadywać obiadowy jadłospis sąsiadów z całej klatki. Aż człowieka mdli.

— No nie przesadzaj. Czasami też czuję, co sąsiadka gotuje.

Stanęła na szczycie schodów do ogrodu i patrzyła z zazdrością. Jeszcze trochę porozglądała się po sąsiedzkich ogródkach, wychyliła się, żeby policzyć lilie u sąsiada, i wreszcie siadła na drewnianej ławce.

— Fajnie było w Niesulicach, co? — rozmarzyła się Dorota. — Chętnie bym tam wróciła.

Wyraźnie miała ochotę porozmawiać o Krzysiu, ale nie wiedziała, od czego zacząć. Nie były aż tak sobie bliskie, żeby Dorota bez oporów otworzyła się przed starszą koleżanką. Przy kielichu było zdecydowanie łatwiej. Ola postanowiła dać koleżance więcej czasu, niczego nie przyśpieszać. Wiedziała, że jeśli już ta zmora będzie dusić Dorotę, przyjaciółka zacznie w końcu mówić.

— Powiedz mi, Dorotka, co wy z Maxem kombinujecie? Niczego nie mogę się od niego dowiedzieć — zgrabnie zmieniła temat.

— Nic ci jeszcze nie mówił? — nieco się zdziwiła.

— Nie, a ja nie naciskałam i chyba jednak za bardzo skupiłam się na sobie. — Pokiwała głową, spojrzała na koleżankę, jakby nagle wynalazła koło. — Ale ze mnie egoistka!

— E, co ty, raczej wariatka — zaśmiała się jak zwykle. — Wariaci zwykle skupiają się na sobie.

— Powiesz mi? — spytała z prośbą w głosie.

— Nie mogę. To jego tajemnica i on musi ci to powiedzieć.

— Nie powie. Prędzej mnie okłamie — powiedziała Olka z żalem w głosie.

— Jest na to sposób — Dorota siorbała rumianek. — Jak człowiek kłamie, to nos mu rośnie.

— No pewnie. Każdy facet wyglądałby jak Pinokio.

— Nie, Olka. Mówię serio. Gdzieś czytałam, że jak człowiek kłamie, to zwiększa mu się ciśnienie krwi, co rozszerza pory w nosie. Podobnie jest, jak się wkurzysz. I jakieś tam wytwarzane związki powodują obrzęk nosa.

— I co? To widać? — zaśmiała się Ola.

— Pewnie nie — zamyśliła się Dorota. — Ale faceci mają jeszcze wtedy lekki obrzęk penisa — powiedziała dumna ze swojego oczytania.

— To co? Mam mu kazać zdjąć spodnie?

— A oglądałaś go, gdy nie kłamał? — łypnęła na nią znad kubka.

— No, co ty!

— To skup się na nosie — poradziła, zdawać by się mogło, zupełnie poważnie.

*

Zapowiadał się miły wieczór. Jeszcze tylko długo wyczekiwana wizyta u stylisty Tytusa i Olka mogła oddać się przyjemnościom kulinarnym. Bo o piciu na razie nie myślała.

Wracała do domu obwodnicą miasta i na pierwszej krzyżówce zatrzymało ją czerwone światło. Jak zwykle słuchała muzyki, a fakt, że słuchała jej coraz głośniej, dowodził, że wraca do zdrowia. Siedziała wyprostowana na podniesionym fotelu. To raczej z powodu lichej konstrukcji ciała albo, mówiąc dosadniej, z powodu krótkich nóżek... Żeby dosięgnąć do pedałów, fotel musiała maksymalnie dosuwać do kierownicy. Czasami nawet zawadzała kolanami o deskę rozdzielczą.

Lubiła ruszać ze skrzyżowania szybciej niż inni kierowcy, więc spojrzała na sąsiedni pas ruchu ciekawa, kto tym razem będzie jej konkurentem.

Zamarła na moment. W aucie obok siedział Marcin i patrzył na nią smutnymi oczami. Serce zabiło jej jak młotem, w głowie huczało i dudniło. Palce na kierownicy zacisnęły się tak, że aż Oli zbielały kostki dłoni.

Matko kochana! Co teraz? — Spuściła wzrok. Nie mogła znieść jego spojrzenia. — Boże, co mam robić?

Z paniki obudził ją dopiero sygnał klaksonów zniecierpliwionych kierowców. Ruszyła z piskiem opon i do domu gnała jak oszalała. Kiedy już zamknęła za sobą drzwi, zupełnie się rozkleiła. Wysłała jeszcze tylko SMS-a: „Robert, coś mi wypadło. Przepraszam, dziś nie mogę" i poszła do bufetu po swój zestaw uspokajający.

Płakała i piła. Piła i płakała. Nie wiadomo, czego było więcej. Usnęła na kanapie w salonie, kompletnie zalana łzami i metaxą.

*

Następny dzień był podobny. Może tylko piła trochę mniej. Ale wciąż płakała. Chciała zabrać się do malowania, ale kapiące łzy rozmywały farbę na jedwabiu (co później, po lekkim dopracowaniu konturówkami, przyniosło ciekawy efekt). Dała spokój pracy i wpadła w objęcia rozpaczy. Wieczorem siadła do komputera.

(Nowa wiadomość).

Marcin, nie mogę przestać myśleć o Tobie. O Twoich oczach i smutku, który się z nich wylewał. Nie byłam jeszcze na to przygotowana... I chyba nigdy nie będę. Co mam zrobić, żeby tak nie bolało? Serce mi pęka. Czy mam przestać jeździć po mieście, żeby nie spotkało mnie to znowu? Żeby nie widzieć tej rozpaczy w Twoich oczach... Żebyś Ty nie widział mojej?

Brakuje mi Ciebie, tęsknie za Tobą i nie przestałam Cię kochać.
(Wiadomość zapisano w kopiach roboczych).

Ulżyło jej. Otarła łzy, powlekła się do łazienki i odkręciła wodę. Do wanny wlała, co tylko się dało. Obłoki piany i cudnego zapachu obiecywały odprężającą kąpiel. Pozapalała świece i zrobiło się nastrojowo. Jeszcze tylko muzyka. Dźwięki gitary klasycznej łagodziły ból w sercu. Oddychała spokojnie, choć ciągle bardzo płytko. Maseczka na twarzy lekko już ściągała skórę i delikatnie drażniła.

Dlaczego wciąż tak silnie reaguję? Przecież obiecywałam sobie życie bez komplikacji. Ale czy miłość jest prosta? A nie chcę żyć bez miłości — myśli tłukły jej się po głowie.

Z wypuszczaną z wanny wodą postanowiła pozbyć się całego smutku i żalu. Czy to się uda?

Najlepszym lekarstwem na smutki jest praca, toteż zabrała się z zapałem do malowania. Kolejne dzieła odpinała z ram, dobierała kolor *passe-partout* i szykowała do oprawiania. Profesjonalną oprawą jej prac miał zająć się umówiony wcześniej miejscowy warsztat oprawiania luster i obrazów. Robili to tam naprawdę dobrze. Rozmawiając ostatnio przez telefon z Krzysztofem, umówiła się, że pierwszą partię obrazów odbiorą osobiście, bo akurat jest im po drodze. Śpieszyła się więc, bo czas naglił. Przez kilka dni niemal nie wyściubiała nosa z domu. Praca, jakieś jedzonko, praca, trochę snu i znów praca. No i odrobina metaxy.

W ustalonym terminie pod dom zajechał terenowy wóz, z którego wysiadł gangster Karol. Mała kawa, szybka transakcja i Olka mogła znów trochę zwolnić. Ale taki mały młyn dobrze jej zrobił.

*

— Max, wyobraź sobie, że z samego rana odwiedził mnie Wojtek. Przyjechał się pożegnać.

— Ten ksiądz? — upewniał się Max.

— Były ksiądz. Tak. Przyjechał na rowerze, po drodze na dworzec. Wyjeżdża w Bieszczady, do wujka. Fajnie, że po tym wszystkim znalazł przyjazną duszę.

Ola zamyśliła się, swoim zwyczajem zaczęła mieszać palcem w szklaneczce z drinkiem, bo ze zdrowego trybu życia na razie zrezygnowała. Patrzyła w okno, nie zwracając uwagi na posępną minę przyjaciela.

— Potrafiłbyś wymóc na dziecku, żeby spełniło twoje marzenia? On nie chciał być księdzem.

— Może nie wiedział, czego chce.

— Może. Ale odwróciłbyś się od syna, gdyby nagle odnalazł swoją drogę? — ciągnęła.

— Nie mam syna... i pewnie nigdy nie będę miał — odpowiedział lekko już zirytowany. — A ty? Będziesz zadowolona, jak Tytus wyjedzie ci do Stanów i nie wróci? Przecież masz tylko jego.

— Zrobi, co zechce. Dzieci nie chowa się dla siebie, w końcu zawsze odchodzą.

— Tak? A to ciekawe podejście — powiedział z wyraźnym przekąsem. — Już zapomniałaś, jak ci go brakowało, choć wiedziałaś, że niedługo wróci? Pamiętasz, coś wyprawiała? Jak posypało ci się życie?

— Co cię ugryzło? — zaniepokoiła się. — Chciałam tylko normalnie poplotkować.

Max przestał się kręcić po kuchni, siadł ciężko na krześle.

— Dorota nie odbiera telefonu — wyrzucił z siebie. — Nie wiem, co się stało. Czy jest na mnie zła? Niczego nie narozrabiałem. Mam dla niej fajną nowinę, a ona milczy.

Cholera! Co mam mu powiedzieć? Że to może być moja wina? — myślała spanikowana.

— E tam. Nie czuła się ostatnio najlepiej. Może jest chora i śpi — zmyślała. — Ty lepiej mi powiedz, co wy cały czas przede mną ukrywacie? Od niej niczego nie wyciągnęłam, ty też jesteś dziwnie tajemniczy. Tylko ja wszystko wam opowiadam jak nakręcona.

— Właściwie... chyba nie wytrzymam do końca, więc ci powiem. Co prawda mieliśmy to zrobić wspólnie, ale... No dobra! Razem z Dorotą pisaliśmy książkę i właśnie przyjęli nam ją do druku — wyrzucił jednym tchem. — I to chciałem jej właśnie powiedzieć.

— O matko kochana! — poderwała się z miejsca. — Jak mogliście mi nie powiedzieć? Max, ty paskudo!

Rzuciła mu się na szyję i zaczęła ściskać.

— I o czym jest ta książka?

— O bitej śmietanie.

— O czym?

— No mówię ci przecież. O bitej śmietanie. Napisaliśmy książkę kucharską o deserach.

— I ty się na tym znasz? — zdziwiła się, bo znała jego stosunek do kuchni.

— Ja nie. Ale Dorota jest w tym prawdziwym ekspertem. Nawet nie masz pojęcia jakim — mówił z prawdziwym podziwem. — To ona wpadła na ten pomysł, kiedy spotkaliśmy się w mieście i poszliśmy na deser. Gadałem coś o braku inspiracji, a ona zaśmiała się i walnęła tak po prostu: „Napisz o bitej śmietanie".

— No proszę… — kiwała głową z uznaniem.

— Śmiałem się z tego, ale jak zacząłem o tym myśleć… Wiesz, za poradniki i książki kucharskie płacą dość dobrze, tylko nie jest łatwo się przebić.

— Ale się udało?

— Dorota miała superpomysły. I zrobiliśmy niezłe zdjęcia.

— To dlatego ciągle kombinowaliście z tą czekoladą, piankami i innymi słodkościami — wreszcie zrozumiała, po co wiecznie kazali jej próbować różnych pyszności. — A już myślałam, że tuczycie mnie do jakiegoś afrykańskiego zamążpójścia. Przez was przytyłam dwa kilo.

Była zadowolona, że udało jej się odwrócić uwagę od milczenia Doroty i naprawdę cieszyła się z ich sukcesu. Może wreszcie Max przestanie być taki ponury.

*

Michał zlitował się nad umęczoną zbieraniem kamieni Olą i dowiózł jej ilość wystarczającą do wykończenia ogrodu. Ola wszystkie najpierw umyła, potem poukładała, oddzielając wyściółkę z kory od kamieni. W ten sposób posadzony przez Michała modrzew na tyłach ogrodu zyskał wreszcie stosowne wykończenie. Jeszcze tylko kora.

Cholera! Znów zapomniałam o korze. Może „ktoś" się zlituje i jednak mi tę korę dowiezie — pomyślała z rozrzewnieniem o „ktosiu" Michale. Zawsze oferował jej pomóc, ale zapewniała go, że korę kupi już sama. Przecież brakuje jej tylko czterech worków.

Tymczasem Robert wrócił z Barcelony i po bezpiecznym umieszczeniu u mamy byłej, przyszłej i niedoszłej żony zadzwonił do Olki z propozycją kolacji. Jasne, kolacja była tylko przełożona, nie odwołana. Wstrzemięźliwy tryb życia nie był stworzony dla Oli (ani też Ola nie była stworzona dla niego), więc przy pracy nad jedwabiami leciutko wspomagała się koniaczkiem, bo metaxa — niestety — wyszła. Na kolację pojechali tam gdzie zwykle. Mieli już nawet swoje ulubione potrawy.

Robert nie wspominał o Alicji, Ola nie pytała. Omówili jednak (zupełnie niechcący) tematy zawodowe, ale to przynajmniej przełamało pierwsze lody. Przy drugiej szklaneczce brandy Ola nie wytrzymała i spytała:

— A jak się ma Zuzia? Przyzwyczaiła się do babci i nowych warunków?

— Właściwie nie wiem. Tylko mama Ali mówiła, że Zuzia jeszcze popłakuje i pyta o tatę.

Zrobiło mu się przykro i ciężko westchnął.

Cholera! Po co pytałam. Chyba alkohol lasuje mi mózg — zbeształa się w myślach. Ale była ciekawa, czy jest jeszcze jakaś więź pomiędzy nimi, czy uda mu się odzyskać utracone dziecko. Pytała z życzliwości i nie chciała przysporzyć mu bólu. Stwierdziła jednak, że to głupi temat do rozmów i że należy go natychmiast zmienić. Tylko na jaki? Sprawy zawodowe już omówili, o dzieciach nie pogadają, Michała nie obrobią, poplotkować raczej też się z Robertem nie da. Po cholerę mi ta kolacja?

— Wiesz co? Zostawię tu samochód i też się napiję. Do domu pojedziemy taksówką albo ktoś nas odbierze. — Rozejrzał się za kelnerem, po czym wstał i poszedł do baru. Wrócił z butelką brandy.

— Zamówiłem to samo, żebyś nie narzekała, że mieszanie trunków ci zaszkodziło — zaśmiał się. — Każde tłumaczenie jest dobre, byle nie mówić, że ma się dym od nadmiaru.

— O, mój drogi, alkohol pity z umiarem nie szkodzi nawet w największych ilościach — powiedziała poważnie, po czym parsknęła śmiechem.

— Eksperymentowałaś na sobie?

— U mnie się to nie sprawdza, ale inni tak mówią.

Po pierwszym kieliszku Robert przestał ciężko wzdychać, nieco się rozgadał i nawet wrócił mu apetyt.

— Pojechałem po nią, choć nie musiałem. Siedziałem tam, załatwiałem jej sprawy, a ona nawet ze mną nie rozmawia — zaczął się żalić.

A, tu cię boli! — pomyślała i nagle zrobiło się jej go żal. Przystojny facet, twardo stąpający po ziemi, świetny organizator i odpowiedzialny szef. A miauczy z żalu jak mały kociak zabrany od matki. Co jest w tych twardzielach, że czasami miękną jak wosk? Co takiego jest w tej kobiecie, że rozlazł się jak stary kapeć?

— Proszę cię, przecież ona straciła męża.

— Ale nie ja go zabiłem — bronił się.

— Daj jej czas. Musi przeżyć żałobę. To się tak nie da, Robert. Co ty byś chciał? Żeby na twój widok zapomniała o nim, o siedmiu latach wspólnego życia, o tym, co ich łączyło?

— O mnie umiała zapomnieć, choć nosiła moje dziecko.

Kurczę, ciężka sprawa. Ma facet rację... Olała go tak z dnia na dzień. Świnia! — Olka wydała w myślach surowy osąd. — Ciekawe, co miał w sobie ten drugi, czego brakowało Robertowi. No, oprócz kasy, rzecz jasna. Można się tak odkochać i zakochać w kimś innym? Cholera! Ja to wiem najlepiej… Nie można! To tak nie działa. Ona jednak chciała innego życia. Mogła je mieć, tylko nie chciała czekać. Ja to jednak mam cierpliwość. Istna Penelopa. Ale też pękłam.

— Robert, jej teraz jest bardzo ciężko i pewnie gryzie ją to, co ci zrobiła. Pewnie jest jej po prostu głupio. Poczekaj trochę. — Z troską pogłaskała jego dłoń. Już jej nie puścił. Siedzieli tak i wzajemnie się pocieszali, aż uczynny właściciel knajpki zaproponował im podwózkę do domu i odstawienie auta. Mówił, że często to praktykują i nie jest to dla nich żaden problem.

Odwieźli ich autem Roberta, drugie jechało za nimi, żeby zabrać do domu kierowcę.

— Ola, wejdź do mnie na kawę — zaproponował, żeby tylko nie zostawiała go samego.

— Dobra — zgodziła się. — Ale żadnej kawy, masz coś mocniejszego?

Miał. Barek zaopatrzony był pierwszorzędnie. Mogłaby tu zostać nawet tydzień. Reszta mieszkania też była niczego sobie. Duży, przestronny dom urządzony bardzo nowocześnie. Pewien obrazek na ścianie aż raził w oczy.

— To mój pierwszy projekt podwórka! — ucieszyła się. — A ja obiecywałam go Maxowi. To on wpadł na ten pomysł.

— W firmie są jeszcze dwie kopie. Może nie zrobi mu różnicy, a ja bardzo chciałem mieć ten — podszedł do niej, wziął za ręce i obie pocałował.

O matko, miękną mi nogi… niedobrze — zaniepokoiła się.

— Może jednak wypijmy tę kawę — poprosiła.

Uśmiechnął się i pociągnął ją za sobą do kuchni. Przy blacie, gdzie stał ekspres do kawy, puścił jej ręce, objął wpół bezceremonialnie i nie czekając, aż się zorientuje, pocałował. Przez chwilę się wahała, ale potem odwzajemniła pocałunek.

A co tam — przemknęło jej przez głowę — może już ostatni raz stoję na miękkich nogach.

Kuchnia zaczęła wirować i wirowała coraz szybciej. Odurzał ją zapach jego wody toaletowej…

Robert uśmiechnął się czule i spytał:

— Jaką kawę lubisz?

— Teraz chyba każda będzie mi smakować.

Zaczął przygotowywać kawę w urządzeniu, jakiego mogłaby mu pozazdrościć niejedna kawiarnia. Ale bardzo lubił dobrą kawę. I potrafił ją przygotować. Dostała kawę ze spienionym mlekiem i cynamonowym serduszkiem na wierzchu. Kawa była bajeczna. Olka siedziała wygodnie na kanapie i piła małymi łyczkami, a pianka osadzała jej się na górnej wardze.

— Ale dobra. Potrafisz zrobić kawę.

— To nie ja. To ekspres. — Robert siadł przy niej, odstawił jej filiżankę i kciukiem delikatnie starł jej piankę z górnej wargi.

Matko kochana, moje nogi — zdążyła się jeszcze wystraszyć, a później utonęła już w jego pocałunkach. A, diabli z nogami, przecież siedzę.

Potem szło już z górki. Dawno nie czuła takiej chęci na seks. I nie było tu już miejsca na myślenie, zastanawianie się. Sprawy nakręcały się błyskawicznie.

— Muszę pójść do łazienki — szepnęła.

— Tam — wskazał ręką drzwi.

Kiedy przechodziła obok półki z książkami (Olka uważała, że nie mogłaby żyć z facetem, który nie ma w domu książek), zobaczyła zdjęcia Zuzi w różnym wieku. Na ostatnim Zuzia siedziała w aucie Roberta i miała smutną minkę.

Co ja wyprawiam? — W łazience spojrzała w lustro i zobaczyła sfrustrowaną kobietę po czterdziestce (złośliwi mówią, że przed pięćdziesiątką) z lekko zawianym spojrzeniem. Pozapinała guziki bluzki, przemyła twarz zimną wodą, przysiadła na brzegu wanny i postanowiła ocalić resztki godności. Wzięła głęboki oddech i wróciła do salonu.

— Robert, chyba wypiliśmy za dużo. No i nie chcę psuć tego, co jest między nami, wiesz... przyjaźni — zaczęła się wycofywać.

— Chodź tu — wziął ją za ręce i przyciągnął do siebie. W jego oczach było pożądanie, ale westchnął ciężko i pokręcił głową. — Masz rację, przepraszam.

Posadził ją obok siebie, przytulił jak przyjaciółkę i tak przegadali noc. Może jednak nie całą, bo Olka obudziła się w pozycji horyzontalnej, otulona kocem. Robert krzątał się po kuchni.

*

Max nadal nie mógł się skontaktować z Dorotą, więc Olka postanowiła wziąć sprawy w swoje ręce. Zadzwoniła. Cisza. Dorota nie odbiera. Zadzwoniła więc do domu Doroty, na telefon stacjonarny, gdzie radośnie świergoczący bratanek oznajmił jej, że „ciocia Dolota pojechała z wujkiem Kalolem. Wujek Kalol pozwolił mi poklęcić kielownicą i zatląbić!".

O w mordę! — zaklęła. Ale jaja! Nic mi nie powiedziała, nie zadzwoniła... małpa jedna! To ja ją kryję przed Maxem, a ta ucina sobie kolejne wakacje. I to beze mnie.

Pomimo lekkiego zawodu (i tak nie mogłaby jechać, bo podwórko czeka) była zadowolona z obrotu sprawy. Dorota jest fajna, mądra i zasługuje na szczęście. Zawsze się dziwiła, że jest sama. A Ola ze śmiechem tłumaczyła Dorocie to zjawisko następująco: faceci nie wybierają inteligentnych kobiet, tylko ładne (no chyba że się trafi i ładna, i mądra... ale pewnie na to szanse są mniejsze niż na wygraną w loterii). A to głównie dlatego, że większość ma lepiej rozwinięty wzrok niż mózg. I to cała jej filozofia wyjaśniania życia w pojedynkę.

Wieczorem oddzwoniła.

— Olka, nie wiem, jak ci to powiedzieć...

— Jesteś w Niesulicach — dokończyła. — Jak to się stało?

— Słuchaj, jak przyjechał do mnie Karol, to zgłupiałam. Zapomniałam zabrać z pałacu kapeluszy i nawet myślałam, że on mi je przywiózł. No i wtedy on podał mi telefon z czekającym na linii Krzysztofem, który powiedział, że moje kapelusze tęsknią za mną... i on też — chlipała w słuchawkę ze szczęścia. — Wtedy nie myślałam za długo i szybko się spakowałam... No i znów tu jestem.

— W tym samym pokoju? — spytała sprytnie Olka.

— Nie, w wieży — powiedziała całkiem normalnie. — Co się zgrywasz, przecież wiesz, że nie jechałam tu dla kapeluszy.

— I tak szybko się spakowałaś? — niedowierzała.

— Tak naprawdę to się jeszcze do końca nie rozpakowałam. A właściwie... wcale. Musiałam tylko trochę dopakować. W tym czasie Karol bawił się z moją kulą u nogi, więc poszło sprawnie — tłumaczyła się.

— Dorota, nawet nie wiesz, jak się cieszę, tylko zadzwoń do Maxa, bo mi tu świruje. Chce ci coś powiedzieć, a ty nie odbierasz.

— Przyjęli nam książkę do druku? — spytała z nutą nadziei w głosie.

— Skąd wiesz?

— Czułam to, naprawdę, czułam! Fajnie. Opowiedział ci wszystko?

— Nie wiem, co znaczy wszystko.

— No... jak się świetnie bawiliśmy przy tej pracy. To mieszanie śmietany, czekolady i innych cudów. Wymyśliliśmy fajne przepisy, nie jadłaś takich deserów. Nawet nie wiem, czy wszystkie można tak nazwać. Niektóre są na ostro. Mówię ci... odjazd!

— Wy się świetnie bawiliście, a ja musiałam przejść na dietę. Cholera, wszystkie moje spodnie nagle się wstąpiły. Tylko w dresy się mieściłam.

Pomstowała, ale rzeczywiście to, co dawali jej do spróbowania, naprawdę było pyszne i... intrygujące. Niektóre z degustowanych deserów wcale nie były słodkie. Przypominała sobie choćby ostry, czekoladowy smak z nutą śliwkową, który prześladował ją jeszcze ze dwa dni. Nie gniewała się na Dorotę, wiedziała, że koleżanka nie pojechała po swoje kapelusze. Cieszyła się jej szczęściem i poczucie rajfurzenia minęło. Dorota naprawdę się zakochała. I nareszcie w realu, nie przez Internet. Tylko czy na pewno z wzajemnością?

— Ola, nie gniewasz się?

— No proszę cię. Nawet tak nie myśl. Baw się dobrze... byle nie za dobrze. I ucałuj wszystkich ode mnie.

— Aha, obrazy są bajeczne. Wszystkim bardzo się spodobały. Mnie szczególnie ten z rozmazanymi plamami. Fajny, taki... trochę smutny.

Trochę — pomyślała Ola i przypomniały jej się łzy kapiące na jedwab — nawet nie wiesz, ile mnie on smutku kosztował.

— Cieszę się. I proszę cię, odzywaj się czasami.

— Będę, obiecuję. Całuski, pa, Olka.

— Pa, szczęściaro! — Uśmiechała się na wspomnienie rozpromienionych oczu koleżanki.

Siedziała na tarasie i powoli robiło się ciemno. Zapaliła większość świec i poszła po szklaneczkę szkockiej z lodem (ostatnimi czasy był to produkt najczęściej goszczący w zamrażalniku... lód, rzecz jasna, szkocka dziwnie szybko znikała z bufetu), siadła na leżaku i słuchała świerszczy.

Czasami niektóre bzykacze właziły do domu i wtedy skradała się do nich z ręcznikiem, żeby go zarzucić i w całości eksmitować stworzonko z powrotem do ogrodu. Mając wiecznie otwarte drzwi, już się przyzwyczaiła do dziwnych odwiedzin. Kilka wieczorów temu, kiedy zaczynało zmierzchać i kiedy osiedlowe nietoperze wypuszczały się na łowy, jeden z nich wleciał przez otwarte drzwi do salonu. Ola widziała to bardzo dokładnie. Nie widziała natomiast, żeby nietoperz wylatywał. Potem, ilekroć rozsuwała drzwi szafy, która też często jest otwarta, zastanawiała się, czy aby nie znajdzie między bluzkami śpiącego smacznie głową w dół nietoperza, ale na razie jeszcze się z nim nie spotkała. Innym razem do salonu wleciał wróbel, próbowała pootwierać okna w kuchni, żeby miał drogę ucieczki... ale Figa była szybsza. Nagle obudził się w niej instynkt łowcy i jednym susem dopadła biednego ptaszka. Nie rozumiała potem, czemu pani na nią wrzeszczy. Przecież przyniosła jej zdobycz.

Miło było siedzieć w blasku świec i przy muzyce świerszczy, kiedy wieczór ciepły, a szkocka zimna. Lubiła te wieczory i choć kiedyś narzekała, że czasami czuje się samotna, to teraz już na pewno wie, że lepiej czasami odczuwać samotność, niż dzielić życie z niewłaściwym facetem.

*

(Nowa wiadomość).
Kochany mój... jak dobrze się tak zwracać do Ciebie. Choć słowa te trafiają w nicość albo raczej do moich kopii roboczych. Ale dobrze sobie uświadomić, że jesteś, że wciąż jesteś moim kochaniem. Dobrze mieć kogoś, kogo się kocha, nawet wtedy, gdy nie można z nim być. Sama świadomość, że gdzieś tam jesteś, bardzo mi pomaga... Już się trochę wyciszyłam po tym naszym niefortunnym spotkaniu. Mam nadzieję, że następnym razem tak nie spanikuję, że serce zostanie na swoim miejscu, no i że nie spalę gum do końca. Ale nie wiedziałam, co mam zrobić. Nie chciałam też, żebyś widział w moich oczach, jak bardzo Cię kocham i jak żałuję straconego życia. Przepłakałam to spotkanie i liczę na to, że nie będę musiała płakać zbyt często. Nauczę się jeździć inną drogą. Inaczej serce mi pęknie.
(Wiadomość zapisano w kopiach roboczych).

Nowe podwórko, nowe wyzwania. Klient okazał się bardzo kapryśny. A to nie podobały mu się projekty Olki, choć były już raz poprawiane według wskazówek, a to rośliny nie takie, a to termin wykonania mu nie odpowiadał. Ciągle coś nie pasowało. Zaczęli się nawet zastanawiać, jak wykręcić się z tej umowy.

— Jak klient tak fiksuje, to może się okazać, że na końcu nie zapłaci. Znajdzie jakieś ale i klops — Michał widział już takie przypadki. Wtedy wszyscy na tym cierpieli. Znali to. Zgodzili się jednak na jeszcze jedną ugodę, ale podjęli decyzję, że w przypadku dalszego marudzenia rezygnują ze zlecenia.

Ola zdawała sobie sprawę, że w każdym biznesie mogą trafić się zgrzyty. Na szczęście miała swoje malowanie. Wracała więc do ram rozłożonych w kuchni i przy szklaneczce czegoś mocniejszego oddawała się coraz odważniejszym eksperymentom z jedwabiami. Każda kolejna praca wydawała się lepsza.

Pochylona nad naciągniętym jedwabiem rozmyślała o telefonie Wojtka, który jeszcze raz dziękował jej za tamten policzek. Mówił, że u wujka znalazł spokój i potwierdzenie swojej decyzji. Przyjechał w Bieszczady na czas. Wujek Leon nie czuł się najlepiej, bardzo przeżywał śmierć cioci. Kochał ją bardzo i choć żona była od niego nieco starsza, do jej ostatniego tchnienia widział w niej najcudowniejszą istotę na świecie. Zerkając na jej zdjęcie, wciąż miał ten sam zachwyt w oczach. Wojtek ubolewał nad losem wuja, nie mógł patrzeć, jak usycha z tęsknoty za żoną.

„Ola, kochałaś tak kiedyś? — prawie słyszała w słuchawce jego łkanie. — Czy czułaś, że ciebie ktoś tak kocha? To musi być cudowne uczucie".

Oj, Wojtek, jest — myślała. Kiedy słyszysz, jak ktoś nazywa cię aniołkiem, słoneczkiem, serduszkiem. Tyle że czasem łatwo to przegapić. I tylko idiota świadomie rezygnuje z tego boskiego daru. Właśnie, idiota. Albo ja.

Wojtek zajął się gospodarstwem wuja Leona. Pracy jest sporo, bo wuj miał wiele rezerwacji, a goście czuli się tam jak u swojej rodziny. Musiał więc przejąć obowiązki cioci Zofii, co nie było łatwe. Do tej pory pracami z nieznanych powodów uważanymi za kobiece na plebanii zajmowała się gospodyni, przedtem mama. Teraz Wojtek musiał wejść w rolę gospodyni domu. I pomimo wielu wpadek podobało mu się to i nawet nieźle mu wychodziło. Bardzo pomocne okazały się letniczki, które współczuły losom wuja Leona i jego bratanka, byłego księdza. Jakoś nikogo nie oburzała historia zrzucenia przez niego sutanny, a raczej wyzwalała potrzebę niesienia im pomocy. Wojtek dużo się uczył, przede wszystkim starał się nauczyć żyć od nowa. Zaprosił też w Bieszczady Olę. We wrześniu, kiedy dzieci idą do szkoły i nie ma już takiego obłożenia. Ola rozważała możliwość wyjazdu. Tego rejonu Polski nie znała najlepiej i chętnie się tam wybierze. Ale najpierw musi uporać się z zamówieniem, przynajmniej z jego następną częścią.

*

Zlecenie na ostatnie podwórko wzięło w łeb. Zgodnie stwierdzili, że klient jest nieodpowiedzialny. Tylko szkoda im było włożonej w ten projekt pracy. Trudno. Tak też bywa. Pracy było i tak aż nadto i Michał miał przynajmniej czas wdrażać się w sprawy kierowania firmą. Robert, zgodnie z radami Olki, każdego dnia jeździł po Zuzię i organizował jej czas. Odciążał tym samym mamę Ali, która musiała niemal bez przerwy zajmować się córką. Okazało się, że mała nie jest zapisana do żadnej szkoły, bo przecież miała uczyć się w Holandii.

— Nie decyduj sam — radziła Ola — poproś o spotkanie z Alicją i porozmawiaj z nią o tym. Co ci szkodzi. Najwyżej pośle cię do diabła.

— Raz już to zrobiła.

— No… to masz wprawę — mrugnęła do niego i trąciła luzacko łokciem.

Robert bał się kolejnego odtrącenia. Ale z córką czuł się coraz lepiej, a raczej… ona z nim. Po kilku dniach już czekała na jego przyjście i chętnie z nim wychodziła. Zabierał ją a to do ogrodu zoologicznego, a to do parku linowego, na basen, nad jezioro. Aż pewnego razu Zuzia spytała:

— A gdzie ty mieszkasz, wujku?

— Chciałabyś zobaczyć? Możemy tam pojechać.

Zuzia zachwyciła się jego ogrodem, domem i olbrzymim telewizorem. A jak jeszcze pojechali do marketu i kupili nadmuchiwany basen…

— Ola, mówię ci. Głupi basen za stówę, a chyba mam małą na własność. Pytała dziś, czy może u mnie spać.

— I co, pozwoliłeś?

— Wytłumaczyłem jej, że najpierw muszę porozmawiać z mamą i babcią.

— I w ten sposób Zuzia załatwiła ci randkę ze swoja mamą — zaśmiała się.

Już na samo wspomnienie spotkania z Alicją i jej mamą denerwował się i próbował jakoś z tego wywinąć. Ale Zuzia była czujna. Kiedy następnego dnia stanął w progu mieszkania, mała wciągnęła go do środka i zakomunikowała:

— Dziś do domu nie wracam. Zostaję u wujka Roberta. Prawda, wujku? — spojrzała prosząco Robertowi w oczy.

— Jeśli mama pozwoli... — nerwowo chrząkał i kręcił się nieswojo. — Nie chciałbym robić zamieszania w waszym życiu...

— Pozwoli, pozwoli — nieoczekiwanie zgodziła się babcia. — Zuzia, proszę wziąć piżamkę i szczoteczkę do zębów — dyrygowała.

Alicja siedziała w fotelu i patrzyła w okno. Zdawało się, że nie zwraca uwagi na to, co dzieje się w pokoju. Niewidzącym wzrokiem śledziła ruchy firanki na wietrze.

Po chwili wróciła babcia z kilkoma ciuszkami wnuczki, spojrzała na córkę, po czym złapała Roberta za rękaw i wciągnęła do kuchni.

— Ona tak siedzi całymi dniami. Nie mówi, nie chce jeść. Na razie bierze leki uspokajające, ale one chyba nie działają tak jak powinny. Nie wiem, co mam robić. Cieszę się, że mała tak cię polubiła. Martwiłam się o nie. Teraz chociaż Zuzia nie płacze.

— Nie wiem, jak mogę pomóc — bąkał. — Gdybym jakoś jednak mógł, proszę powiedzieć.

Mama Ali zawsze lubiła Roberta i trudno było jej się pogodzić, że córka nie wychodzi za mąż za ojca swojego dziecka. Wiedziała, jak Ala go skrzywdziła, i po części czuła się za to odpowiedzialna.

— Wpadaj częściej — poprosiła — wiem, że to nie jest dla ciebie łatwe... Ale jeśli możesz to dla mnie zrobić, będę ci wdzięczna.

Robert i Zuzia spędzili z sobą kilka fantastycznych dni. Zuzia nie odstępowała go ani na chwilę i po paru dniach przyjechała z nim do pracy.

— Co ze szkołą? — w Oli odezwał się uśpiony duch belfra.

— Babcia Zuzi prosiła, żebym to załatwił. Pomożesz mi?

— To żadna filozofia. Musisz tylko pójść do wybranej szkoły i zapisać małą. Raczej wszędzie ją przyjmą, bo jest niż demograficzny i szkoły biją się o każdego ucznia. Tylko weź upoważnienie od jej mamy. To musi zrobić rodzic albo prawny opiekun.

I tak Zuzanna stała się uczniem szkoły w pobliżu domu swojej babci. Będzie chodziła do szkoły, do której chodziła jej mama.

(Nowa wiadomość).

Ostatnio dużo myślałam o dzieciach. Pewnie, teraz to już tylko mogę o nich myśleć i cierpliwie czekać na wnuki. Pamiętasz, jak kilkanaście lat temu marudziłam Ci o dziecku? Szkoda, że nie zdecydowałam wtedy sama. A może dobrze? Może musiałabym dwoje wychowywać samotnie. Co tam. Było, minęło. Ale jeden z moich przyjaciół – Robert, pisałam Ci o nim – właśnie odzyskał utraconą siedem lat temu córkę i wszyscy cieszymy się jego szczęściem. Zmienia się... i to widać z dnia na dzień. Chyba wraz z córką odzyskał sens życia. Miło jest patrzeć, jak inni są szczęśliwi, i liczyć na to, że może i do mnie jeszcze szczęście się uśmiechnie. Wierzę w to. Jeszcze wciąż wierzę.

(Wiadomość zapisano w kopiach roboczych).

*

Max się wreszcie uspokoił. Rozmawiał z Dorotą i ta rozmowa dziwnie go uszczęśliwiła.

— Coś taki radosny? Masz pomysł na nową książkę? Może o alkoholach? — Ola znów mieszała palcem w kryształowej szklaneczce z rudym trunkiem.

Siedzieli na tarasie i upajali się może ostatnim tak ciepłym wieczorem. W połowie sierpnia powietrze już pachnie jesienią. Zimowity już przywitały świat fiołkowymi kielichami, a zmęczona zieleń drzew tylko czeka, żeby zamienić się w żółć, czerwień i brąz. I znów będzie trzeba sprzątać liście z trawników, okopywać rośliny na zimę albo tego nie robić i liczyć na to, że natura sama sobie poradzi. Tylko wtedy nie ma co czekać na piękne, wiosenne przebudzenie ogrodu. No chyba że zamówi się firmę ogrodniczą.

— Rozmawiałem z Dorotą i powiedziałem o naszej książce. Cieszyła się. Ale nie jestem pewien, czy aby na pewno z tego — zastanawiał się.

— Czy to nie obojętne, co człowieka uszczęśliwia? Ważne, że tak się dzieje — Olka uderzyła w ckliwą nutę. Siedziała na krześle z podkulonymi nogami i patrzyła na palące się świece. — Powiedz, Max, jesteś szczęśliwy?

— A tobie co?

— Czy to takie trudne pytanie? Nie migaj się, tylko odpowiedz.

— A co to jest szczęście? Sama powiedz.

— Nie wiem. Myślałam, że jak będę miała rodzinę, taką wiesz… jak próbowałam sobie stworzyć, to będę szczęśliwa. Gówno prawda. Rodzina to pewnie ważna rzecz, ale widać nie jestem do takiego życia stworzona — westchnęła. — Okazuje się, że najlepiej mi samej.

— Pieprzysz, Olka. To nie stado jest do dupy, tylko twój wybór był do dupy. Trzeba czekać na swoje szczęście.

— Jak długo?

— Czasami długo, czasami można się nie doczekać — westchnął.

— Filozof się znalazł. No, ja się chyba już dość naczekałam.

— Ola... źle ci? Jesteś samodzielna, odważna, zaradna. Pokaż mi drugą taką babkę, która odeszła od męża, sama wychowała i wykształciła dziecko, bez niczyjej pomocy tak sobie poradziła w życiu. Cholera! Czego ci brakuje?

Łypnęła na niego znad podkulonych nóg.

— Nie wiem. Sama już nie wiem. — Jeszcze nie umiała przyznać się przyjacielowi, jak bardzo tęskni za swoim życiem, za Marcinem, za czekaniem na niego z obiadem. Nie powiedziała Maxowi, czemu parę dni temu miała taki podły humor i porzuciła swoje ziółka. Nawet jemu wstydziła się przyznać. — Zobacz, wszyscy wokoło są szczęśliwi, Robert ma Zuzię, Wojtek zmienił swoje życie i cieszy się ze zmian, Michał awansował, ty wydajesz książkę...

— Dorota się zakochała... — przerwał jej.

— Wiesz? — zdziwiła się bardziej jego spokojem, niż tym, że wie.

— Powiedziała mi. Przez telefon — wypowiedział to zupełnie na luzie.

Już nic nie rozumiem. — Miała zmącone myśli. — Zdawało mi się, że Max coś do niej czuje. Może tylko mi się zdawało. Niedobrze, zaczyna mnie zawodzić moja babska intuicja. Cholera, chyba już dawno temu mnie zawiodła.

Tak czy inaczej była zadowolona, że nie musi mu już tego mówić. Odetchnęła z ulgą, bo do tej pory czuła się jak zdrajca.

— Pojedziesz ze mną do Wojtka? — zaproponowała nagle.

— Dokąd?

— Dokładnie jeszcze nie wiem, w Bieszczady, gdzieś w okolice Soliny.

— Ale we wrześniu — zgodził się — wcześniej nie mogę.

*

Do września zostało jeszcze kilka dni, które — jak powiadają wróżbici tuż po wiadomościach — miały być słoneczne i upalne. Ola postanowiła urządzić sobie w ogrodzie kurort, więc wytargała zakupiony rok temu przez Tytusa basen. W końcu dla tego kawałka nadmuchiwanego plastiku remontowała ogród. Na szczęście dziecko było w domu i pomogło matce obsłużyć urządzenie.

— Oj, Olusia, co ty byś beze mnie zrobiła? — śmiał się, wydając instrukcje przy wspólnym rozkładaniu basenu.

Basen napełniał się prawie trzy godziny. W oczach Oli przekręcał się licznik, ile to kubików wody będzie więcej na rachunku. Ale w końcu za przyjemności trzeba płacić. Potem przez cały weekend chodziła i sprawdzała, czy woda osiągnęła już odpowiednią temperaturę. A że woda nigdy nie jest tak ciepła, żeby nie mogła być jeszcze cieplejsza, Ola w końcu postanowiła rozpocząć plażowanie. Co prawda wokół nie było bielutkiego morskiego piasku i basen przypominał raczej kałużę po ulewnym deszczu, wmówiła sobie, że to namiastka jeziora... Nadmuchany materac zmieścił się ledwo, ledwo, ale mogła się w nim nawet obrócić i wiosłować ramionami (na ramiona, na szczęście, też miejsce się znalazło).

Najgorzej było położyć się na zimnym materacu, ale potem już jakoś poszło.

Matko kochana, jaka ja głupia, że prędzej tego nie zrobiłam — wzdychała, gapiąc się od dołu na rozłożystą leszczynę. Słońce grzeje, tyłek się chłodzi... Czego można chcieć więcej? Może piwa?

Przyglądała się parze sikorek, które przez cały czas skakały po gałązkach leszczyny i zdawały się nie zwracać uwagi na wiosłującą w basenie Olę. Było tak przyjemnie, że chyba nawet nieco się zdrzemnęła. Z opalaniem pleców był niezły ambaras, bo ilekroć już kładła się na brzuchu, materac dziwnie się uginał i ciągle lądowała w wodzie. Trochę jej zeszło, zanim znalazła odpowiednie ułożenie.

To wszystko wina środka ciężkości, który zdecydowanie przesunął się bliżej siedzenia — złościła się, że znów lekko przytyła. I teraz ten środek ciężkości uparcie wciągał ją pod wodę. Ale ułożywszy się wreszcie, „podpłynęła" nosem do swojej donicy z liliami i z lubością przyglądała się osom, które siadały na pływających liściach i... piły wodę. Potem odlatywały i przylatywały następne.

A może to te same, tylko mają kaca? — uśmiechnęła się do wyobrażenia o pijanych osach. Choć pijane kury już widziała. Kiedy była mała, każde wakacje, a przynajmniej ich część, spędzała u babci na wsi. Uwielbiała to. Zjeżdżały się wtedy wszystkie wnuki, a było ich jedenaścioro (dziw, że babcia nie oszalała) i doskonale się bawili. Gospodarstwo było bardzo duże, gdy rozbiegli się po śniadaniu, po dzieciach nie było śladu. Babcia zwoływała ich na obiad, waląc gałką do ucierania ciasta w dno dużego garnka. I złazili się wtedy ze stodoły, z górki nad chlewami, z ogrodu za domem, z łąk za ogrodem czy znad stawu, gdzie na dętkach od traktora pływali razem z kaczkami. Bawili się wszyscy razem albo w mniejszych grupkach, ale starsi zawsze pilnowali młodszych.

Wieczorami, wykąpani i odziani w piżamy, przesiadywali na schodach olbrzymiego, starego domu, słuchali kumkania żab w stawach i opowieści babci. Jeśli babcia miała dobry humor, co przy takiej zgrai rzadko się zdarzało, słuchali opowieści o czasach jej dzieciństwa, o pradziadkach i o strasznych historiach, które wydarzyły się w tym domu. Podobno na strychu powiesił się zrozpaczony, porzucony przez ukochaną parobek. Od tego czasu w domu straszy. Czasami podskakują krzesła, po schodach prowadzących na strych przetaczają się puszki, których jednak nikt nie znajduje. Żadne z wnucząt nie odważyło się nigdy pójść na strych, chyba że w towarzystwie cioci lub wujka. Szło się tam tylko wtedy, kiedy trzeba było pomóc przynieść wędliny z wędzarni albo inne produkty przechowywane na górze. I historia o duchach działała lata całe, strzegąc przed zjedzeniem przechowywanych tam przez babcię skarbów: późnych gruszek i zimowych jabłek, orzechów włoskich i laskowych, które rosły nad stawem i były obiektem pożądania całej tej zgrai głodomorów. Dziadek przechowywał na strychu wielkie butle, w których robił nalewki i wina. Na nawiedzonym strychu owe butle miały święty spokój, a wina idealne warunki do fermentacji.

Pewnego razu, kiedy siedzieli przy obiedzie, do kuchni wbiegł przerażony kuzyn Andrzej ze straszną wiadomością, że wszystkie babcine kury zdechły, że leżą na grzbietach z wyprostowanymi pazurami i nie ruszają się. Ależ to była afera. Wybiegli wszyscy. Wujek z ciocią zbierali te biedny kury, babcia miała łzy w oczach, a dziadek dziwnie drapał się pod beretem po głowie, po czym spokojnie poszedł za chlew. Wrócił po chwili i nakazał wszystkim wracać do jedzenia. Zmartwionej babci też. Zanim skończyli deser, kury pojedynczo wstawały, otrząsały się i przysiadając raz po raz, znów spacerowały po podwórku. Tylko z drapaniem w ziemi miały jeszcze kłopoty. Okazało się, że dziadek wylał na gnojownik za chlewem zawartość butli z nalewką, która się nie udała. I tak kury spróbowały dziadkowych nalewek. Ale żeby osy? Od razu je polubiła.

Pływała więc sobie z nosem przy liliach i opalała plecy. Kiedy zadzwonił telefon i próbowała się podnieść, znów wylądowała w wodzie.

— Szlag! — pomstowała, kiedy wysuwała klapkę telefonu.

— Olko moja… co tak wyzywasz? — to Tyci śmiał się, bo znając matkę, wiedział, że pewnie coś w tej chwili zmalowała. — Co słychać, co robisz, wszystko w porządku?

Dzwonił co kilka dni, żeby sprawdzić, czy Ola wraca do zdrowia.

— Cześć, mały. W porządku, tylko prawie się utopiłam.

— Miałem nadzieję, że w końcu wejdziesz do tego basenu. I co, fajnie?

— Super. Żałuję, że wcześniej tego nie zrobiłam.

— I nie nudzisz się tak sama?

— Mogę nudzić się wyłącznie sama, bo drugi materac się nie zmieści. A poza tym… nie jestem tu sama.

— To kogo tam gościsz? — zaciekawił się.

— Same się goszczą. Wyobraź sobie, że odkryłam, czemu co drugi dzień muszę dolewać wody do lilii.

— No, bo wyparowuje — rzekł rzeczowo.

— Albo osy ją wypijają — mówiła całkiem poważnie, co Tytusa niebywale rozbawiło.

— Musiałyby być wielkości naszej Figi i mieć syndrom dnia następnego — tak ładnie nazywa się teraz kaca.

Kiedy upewnił się, że u mamy wszystko gra, zakomunikował, że kroi mu się trzymiesięczny wyjazd służbowy do Stanów.

No masz — pomyślała — znowu zostanę sama.

*

Wróciła Dorota. Radosna, opalona i gotowa, by wrócić do szkoły. Gotowa, ale tak jakoś mało chętna.

— Wiesz, Olka, po raz pierwszy nie czuję takiego pędu do szkoły. Niby fajnie, że znowu zobaczę znajomych, ale ciebie tam nie będzie… Z kim będę gadać na radach?

— Przyznaj się lepiej, że Niesulic ci żal — Olka zerknęła na zadumaną Dorotę.

— Jasne, że żal. Nie będę miała już tyle czasu.

Siedziały na rynku w ulubionej kawiarni Doroty i piły kawę. Po raz pierwszy Dorota nie wzięła deseru i nawet kawę zamówiła bez bitej śmietany. Ola nie mogła wyjść z podziwu.

— Odchudzasz się?

— E, nie. Coś mi ostatnio słodycze nie smakują, chyba się przejadłam przy tym pisaniu — skrzywiła się. — Ty mi lepiej powiedz, co się działo, jak mnie tu nie było. Co u Roberta?

— Nico — wydęła wargi i wzdrygnęła ramionami. — Nie będę się pchała tam, gdzie może nie powinnam.

— Altruistka się znalazła — Dorota niemal na nią fuknęła. — Kobieto, kiedy nauczysz się walczyć o siebie? Czasami trzeba być egoistką.

— Ty byś potrafiła? — spytała z przekąsem.

— Ooo, tak. Nawet nie wiesz, jak bardzo bym potrafiła — uśmiechnęła się pod nosem i zrobiła tajemniczą minę. Ola nie miała odwagi wypytywać Doroty o pobyt u Krzysztofa, ale po chwili koleżanka sama zaczęła: — Chyba już nie pojadę do Niesulic.

— Czemu, co się stało? Pokłóciłaś się z Krzysiem? — zaniepokoiła się Ola, bo przecież widziała, jak Dorota była na jego punkcie zakręcona. — Coś z nim nie w porządku?

— Nie, wszystko gra. Można powiedzieć, że to idealny kochanek…

— Moja droga — Ola zaczęła poważnie, ale uśmiechając się pod nosem — idealny kochanek kocha się z tobą do drugiej nad ranem, a potem zamienia się w czekoladę. Najlepiej gorzką.

— O matko, przestań z tymi słodyczami. — Poprawiła się na krześle i westchnęła głęboko. — Muszę ci coś powiedzieć — zaczęła, ale jakoś nie mogła się zebrać, poprawiła się jeszcze kilka razy.

— Co się tak wiercisz, jakby cię stringi uwierały.

— Olka… chyba jestem w ciąży — wyrzuciła to z siebie z uśmiechem, zaczęła lekko klaskać w ręce i podskakiwać na krześle jak mała dziewczynka. Olę zamurowało. Siedziała z otwartymi ustami i nie wiedziała, co powiedzieć.

— I cieszysz się? — spytała po chwili, nie do końca rozumiejąc zachowanie Doroty. Nie chce już jechać do faceta, z którym jest w ciąży, ale cieszy się jak dziecko...

— Jasne! I to nie wiesz nawet jak bardzo. — Widząc jednak koleżankę z miną ucznia nierozumiejącego twierdzenia Pitagorasa, próbowała wytłumaczyć jej to prostymi zdaniami. Teraz to chyba tylko takie do Olki dotrą. — Ola, mam trzydzieści pięć lat. Stara dupa jestem. Nie mam stałego faceta ani widoków na związek. Od pewnego czasu żałuję, że nie dałam sobie zrobić dziecka już wcześniej. Ale nie chciałam, żeby to był ktokolwiek — mówiła to zupełnie spokojnie i rzeczowo. — Za chwilę już by pewnie było po ptakach. I tak przyjmuję to prawie jak cud.

Ola słuchała jej wywodów i nadal nie rozumiała, dlaczego Dorota chce wychowywać dziecko samotnie.

— Coś ty sobie wymyśliła? — spytała niemal spokojnie.

— Ola, będę miała dziecko, moje własne. Rozumiesz? Bez problemów z facetem, z nieudanym związkiem, bez kłopotów i komplikacji.

— Skąd wiesz, że bez kłopotów? Skąd wiesz, że miałabyś problemy z facetem? Skąd to wszystko, do cholery, wiesz? — Ola zaczęła się nakręcać.

— No, nie wiem — zwątpiła.

— Przecież czujesz coś do Krzysztofa, wiem to. On za tobą wariuje. Jak możesz mu to robić? — wyrzucała jej.

— Bo w życiu trzeba być egoistą. Czasami. Właśnie o tym mówiłam. Co ty myślisz, czego chcą ci wszyscy napaleni faceci z Internetu? — zapytała, choć nie zamierzała czekać na odpowiedź. — Bzyknąć laskę bez zobowiązań.

— To dlaczego nie wybrałaś któregoś z nich?

— Bo to były same palanty, nie chciałam się z żadnym spotykać, a na niepokalane poczęcie to raczej drugi raz nie ma co liczyć — broniła swoich racji.

— Ale chyba zamierzasz powiedzieć ojcu dziecka?

— Po co? To będzie tylko moje dziecko — wzruszyła ramionami, a z tonu słów wynikało, że mówiła absolutnie serio.

— Czyś ty zgłupiała? Dorota, czy ty zdajesz sobie sprawę, co to znaczy wychować samotnie dziecko? — patrzyła jej prosto w oczy, jakby to miało wzmocnić siłę jej słów. — Nawet nie wiesz, ile problemów będziesz musiała rozwiązywać sama. A największy pewnie będziesz miała z kasą. Ja miałam. Nie masz nawet pojęcia, ile razy ryczałam, kryjąc się przed Tycim, że jutro nie będę miała za co kupić chleba. Że nie starczy mi na rachunki, że nie mogę kupić mu drugiej pary butów, bo albo buty, albo kurtka. O swoich nawet nie myślałam. Już nawet nie pamiętałam, że można kupić ciuch, bo jest ładny, a nie dlatego, że poprzedni ze starości spadł mi z tyłka! — zakręciły się jej łzy w oczach.

Ola usilnie starała się zapomnieć o tych chudych latach, ale jeśli te wspomnienia miałyby być przestrogą dla przyjaciółki, odkopie gorzkie przeżycia.

— Ale poradziłaś sobie... — nie dawała za wygraną Dorota.

— Jakim kosztem? Malowałam po nocach, na dłoniach miałam uczulenie od paskudnych farb — mówiła ostrym tonem, jakiego Dorota jeszcze u niej nie słyszała. — A spytaj mnie, gdzie byłam na wakacjach? Nigdzie! Przez lata całe nie było mnie na nie stać. Bo albo wakacje dziecka, albo moje. I wyobraź sobie... nie potrafiłam być egoistką. I ty też nie będziesz umiała. Znam cię. Będziesz chciała mu dać wszystko. Z czego? Z nauczycielskiej pensji? No, jeszcze możesz dawać korki z matmy — złagodniała. — Pomyśl jednak, czy chcesz.

Teraz Dorota patrzyła na nią z otwartymi ustami. Nie miała pojęcia, że tak wyglądało życie Olki. Myślała, że ta rezolutna kobieta doskonale sobie ze wszystkim radziła... na luzie. Nie takim kosztem.

— Ola... nie wiedziałam. Nigdy nie mówiłaś — bąkała.

— Miałam wszystkim się użalać, jaka to jestem biedna? Od niejednego pewnie bym usłyszała: „Było nie odchodzić od męża". — Wzięła Dorotę za rękę. — Obiecaj mi, że to przemyślisz. Obiecaj!

Dorota westchnęła głęboko. Patrzyła na połączone na stoliku dłonie i nie wiedziała, co jej odpowiedzieć. Przecież wszystko już miała przemyślane.

Może Ola ma rację? Może to ja pieprzę trzy po trzy? — myślała.

— Przemyślę — obiecała.

— I oczywiście, Dorotka, gratuluję ci z całego serca. Jeśli tego chciałaś... cieszę się razem z tobą — uśmiechała się do niej ze łzami w oczach, których nawet nie próbowała ukrywać. — Powiedziałaś w domu?

— Jeszcze nie. Poczekam.

Psiakrew! W końcu będę musiała powiedzieć — niepokoiła się. Już widzi reakcje bogobojnej matki. Była pewna, że ojciec się ucieszy i nie będzie miał z tym problemów. Ale mama? No i może będzie musiała jednak szukać sobie jakiegoś mieszkania. W małej klitce rodziców zajmowała najmniejszy pokoik, nawet nie wiadomo, czy zmieści się tam łóżeczko. Może Ola jednak ma rację?

(Nowa wiadomość).
Czy tylko mnie szczęście zawsze omija? Co ja takiego złego w życiu zrobiłam, że wszyscy dookoła odnajdują swoje szczęście... tylko nie ja. Cholera, Marcin, a może ja zbyt wiele od życia chcę? Dorotka chyba jest w ciąży, cieszy się jak szalona i postanowiła wychowywać dziecko w pojedynkę. Zgłupiała! Ojciec dziecka, wiesz, ten hotelarz, szaleje za nią. Ale ona wymyśliła, że skombinuje sobie dziecko, bo uznała, że za chwilę może już być za późno. Po to szukała odpowiedniego ojca, żeby mu nawet o dziecku nie powiedzieć? Albo jestem za głupia, albo świat już tak się zmienił. Ale w tak krótkim czasie? Niemożliwe! Mam nadzieję, że ona to jeszcze przemyśli, bo nawet nie wie, w co się pakuje. Świat staje na głowie... Jedni chcą być za wszelka cenę samotni, inni chcą z tej samotności się wyrwać. Ja nawet lubię być samotna... ale z Tobą.
(Zapisano w kopiach roboczych).

*

Rok szkolny rozpoczął się bez Oli. W tym roku pauzowała. Lepiej to brzmiało niż leczenie skołatanych nerwów. Nie poszła do szkoły i nie usłyszała piosenki, którą Marcin zawsze śpiewał jej pierwszego września: „Ćwierkają wróbelki od samego rana, ćwir, ćwir, dokąd idziesz, Oleńko kochana? A Oleńka na to, śmiejąc się wesoło, szkolny rok się zaczął, więc idę do szkoły". To był ich rytuał. A właściwie Marcina. Nawet kiedy już nie byli razem, przesłał jej MMS-em zdjęcia wróbelków.

Choć poranek był słoneczny, popołudnie pachniało rychłym deszczem. Olka kończyła partię obrazów i przygotowywała je do oprawy. Na całej podłodze salonu leżały ramy z jedwabiami. Dorota krążyła pomiędzy nimi i chwaliła koleżankę:

— Idzie ci coraz lepiej. Te pierwsze były takie... wycacane. Te mają w sobie pewien rozmach i nonszalancję. Sama nie wiem. Fajne są.

— E, ty, krytyk sztuki z bożej łaski... chcesz ziółek albo czegoś? — Ola już trzymała w ręku swoją szklaneczkę. — Tego ci nie proponuję, ale możesz dostać jeszcze maślanki.

Podwójne szkło szklanki sprawiało, że biały napój przybrał kształt krowich wymion. Szklanki były prezentem od bratanicy, która uwielbiała robić podobne prezenty. Kiedyś dostała też od jej brata tubkę farby o smaku czekolady z dołączonym pędzelkiem. Miały dzieciaki poczucie humoru i niezły tupet, ale również za to Ola je uwielbiała.

— A to co? — Dorocie wyraźnie podobała się szklanka.

— To prezent od Eweliny. Śmieszne, nie?

— Śmieszne — westchnęła — już sobie wyobrażam siebie z takimi wymionami. Mam nadzieję, że za bardzo się nie zdeformuję. Nie byłam jeszcze u lekarza... ale jednak jestem w ciąży. Zrobiłam już sobie trzy testy. Wszystkie potwierdzają to samo. Będę miała dziecko — zaczęła podskakiwać.

— Tylko go nie wytrząśnij. Powiedz mi lepiej, jak było w szkole — zgromiła ją Olka i wyprowadziła za sobą na taras. Siadły na drewnianej ławeczce i położyły nogi na stole. Po niebie przetaczały się z wolna deszczowe chmury i pora zrobiła się akuratna na szklaneczkę metaxy…

— Wszyscy już wiedzą, że Wojtek zrzucił sutannę. Nie było go, więc nikt nie pozostawił na nim suchej nitki. Ale wiesz co? Nie mówili o nim źle. Całkiem dobrze to odebrali — Dorota popijała maślankę z krowich wymion z miną smakosza. — Rozgardiasz był nieziemski, bo przyszedł nowy katecheta i okazało się, że być może dojdzie ktoś jeszcze. Dobra ta maślanka — cmokała.

— A to czemu?

— Bo taka zimna i świeża…

— Nie pytam o maślankę. Dlaczego ma dojść ktoś jeszcze? — niecierpliwie dopytywała Ola.

— Bo ciebie nie ma, ty wariatko — zaśmiała się.

— No tak. Zapomniałam. Ale wiem, kto przyjdzie na moje miejsce.

— Wiesz? Kto?

— Stary dzwonił do mnie i pytał o moją byłą uczennicę. Ją akurat pamiętam, pięknie malowała. Studiowała w Paryżu. Wyobrażasz sobie? W Paryżu! I wróciła tu za facetem. Podobno na krótko, ale stary dopadł ją i namówił na zastępstwo — mieszała palcem swój trunek. — Zdąży odbyć staż, nigdy nic nie wiadomo. Może kiedyś się przyda.

— Gdzie, w Paryżu? Bardzo wątpię — prychnęła ze skrzywioną miną Dorota. — Tylko u nas robią z nauczycieli takich cyrkowców. Ale zaczęliśmy mówić o tobie i stary, żeby to przerwać, opowiedział niezły kawał. Słuchaj: „Pani w towarzystwie narzekała, że panowie bez przerwy świntuszą i zaproponowała, żeby porozmawiać o sztuce. No i po chwili ciszy jeden z biesiadników zaczął: Rubens… ten to malował dupy!".

— Jak to mówili o mnie? — zaniepokoiła się i nawet nie zwróciła uwagi na dowcip. Pewnie nawet go nie dosłyszała.

— No, że siadły ci nerwy, że właściwie to przez Wojtka. Stary po prostu chciał uciąć te dywagacje. Ten nasz dyro jednak umie się znaleźć — Dorota z uznaniem pokiwała głową.

Olka nie wiedziała, co o tym myśleć. Niby nie obchodziło jej, co mówią o niej inni, ale nikt nie lubi, jak się o nim plotkuje. I jest jednak regułą, że plotkuje się o nieobecnych. Trudno, jakoś to przeżyje.

— Ola, nie słyszysz? Telefon ci dzwoni — Dorota ruchem głowy wskazała salon.

To był SMS. Ola na ekranie zobaczyła małe, szare ptaszki. Patrzyła na nie bez słowa i nagle się rozpłakała.

— Matko kochana, co się stało? — Dorota poderwała się z ławki. — Ola, nie strasz ciężarnej! Co ci jest?

Ola podsunęła jej pod nos telefon.

— Tych ptaszków tak się wystraszyłaś? — nie rozumiała. — Kto je przysłał?

— Marcin — szepnęła i wypiła do końca zawartość szklaneczki. A potem następnej. Opowiedziała Dorocie o pierwszowrześniowej tradycji i o spotkaniu na światłach. O tym, jak ryczała kilka dni i nie mogła się pozbierać. I dlaczego te jedwabie były takie rozmazane. Dorota słuchała i piła tyle maślanki, ile Ola metaxy.

— Przestań już pić, bo urżnę się tym nabiałem — zabrała jej szklaneczkę z ręki. — Dlaczego mu nie odpiszesz?

— Po co?

— Jak to po co? Przecież ty cały czas go kochasz. Robisz sobie na złość czy jak?

— Ty mi lepiej powiedz, czy mówiłaś Krzysztofowi o ciąży? — odbiła piłeczkę Ola.

— Jeszcze zdążę. Najpierw pójdę do lekarza, upewnię się, a potem pomyślę.

Zaczęło już zmierzchać. Światło świec nadawało wieczorowi czarowną moc. Siedziały w ciszy i tylko zielone bzykacze odzywały się w liściach winobluszczu, dając złudzenie, że to jeszcze czas wakacji.

— Muszę już jechać. Jutro przecież idę do szkoły — zreflektowała się Dorota, a po chwili dodała: — Aha, zapomniałam. Nie było też dziś Mariolki. Podobno zmieniła szkołę.

(Nowa wiadomość).

Marcin, dziękuję Ci za ptaszki, ale... Czemu mi to robisz? Nie poszłam dziś do szkoły i nie pójdę przez cały rok. Już Ci o tym pisałam. Ale Ty przecież nie dostajesz moich maili... zapomniałam. Jednak lekarz miał rację co do tego urlopu zdrowotnego. Świruję. Przejdzie mi. Mam masę roboty, a nic tak nie uzdrawia jak praca. Maluję i marzę o życiu, którego nie mogłam mieć. Marzę o Tobie.

(Wiadomość zapisano w kopiach roboczych).

*

Pierwsze dni września mijały spokojnie. Poranki Olka spędzała na tarasie z kubkiem kawy (kubek w różyczki) i poduszką (koniecznie) na najwyższym stopniu schodów. Nic jeszcze nie wskazywało na zmierzch lata. No, może pojedyncze nici babiego lata wijące się w lekkich podmuchach rześkiego wietrzyku. Te jednak Ola zdawała się ignorować i uparcie nie sprzątała basenu z ogrodu. Kiedy południowe słońce jeszcze nieźle przygrzewało, ucinała sobie w nim krótką drzemkę. Leżała na kołyszącym się materacu, rozmyślała o życiu Doroty, Maxa, Roberta, Michała i zastanawiała się, kim byłaby bez nich. Czy byłaby tak łakoma życia, czy może znerwicowana, samotna, narzucająca innym swoją obecność i pouczająca wszystkie niegrzeczne dzieci na ulicy.

Nieraz już zastanawiała się nad zmianą swojego życia. Bała się pracować w szkole aż do emerytury. Obawiała się (jak widać słusznie), że nie doczeka jej przy zdrowych zmysłach. Tylko do czego się wziąć, mając prawie pięćdziesiątkę na karku? Czy starczyłoby jej odwagi na zmianę sposobu życia?

Robertowi starczyło… choć on nie był tak stary. Każdego ranka zaprowadzał do szkoły swoją małą córeczkę lub ją odbierał. Rola ojca, a raczej ciągle wujka Roberta, bardzo mu odpowiadała. Dzięki podziałowi obowiązków służbowych z Michałem miał więcej czasu i niemal całkowicie poświęcał go Zuzi.

Max nie bał się napisać książki o czymś, o czym kiedyś nie miał zielonego pojęcia. Tak się na początku wydawało. Teraz często próbuje zabierać głos w kwestii doboru smaków, czym wkurza Olkę niemiłosiernie. Jego nową pasją stały się drinki, co bardzo Olce pasowało, ale niekoniecznie alkoholowe, czego z kolei nie potrafiła zrozumieć.

— Spróbuj tego — podsunął jej dziwny, mlecznobiały napój.

— Jest w nim alkohol? — spytała z nadzieją w głosie.

— No spróbuj.

Upiła mały łyczek i skrzywiła się nieludzko.

— To mleko!

— No. Dobre, nie? — wydawał się dumny.

— Jak mleko może być dobre? Nie rozumiem tego.

— Przecież lubisz nabiał. Jesz sery, pijesz jogurty, maślankę i inne takie — wyliczał jej zawartość lodówki.

— Ale nie mleko. Nie cierpię mleka, nawet w kawie nie może być go za wiele. O, Dorocie będzie smakować. Teraz może pić wyłącznie mleko — zapędziła się, nie myśląc o tym, że może Dorota nie chciała zdradzać swoich tajemnic.

— A myślisz, że dla kogo ja to mieszam? — odparł, nie odrywając wzroku od miksera. — Wczoraj się z nią widziałem — zawiesił głos — i powiedziała mi o ciąży.

Kurde, co tu jest grane? — zastanawiała się. — Dorota jest w ciąży, a Max nie jest przybity, wręcz przeciwnie. Nic nie rozumiem. A może nie muszę wszystkiego rozumieć?

— Znów będziecie coś pisać? — chciała zmienić drażliwy, jak jej się wydawało, temat.

— Nie, raczej nie. Choć nigdy nic nie wiadomo — zamyślił się ze wzrokiem wbitym w mikser. — Ola, chciałaś gdzieś jechać. Gdzieś w Bieszczady. Czy to jeszcze aktualne? — spojrzał na nią.

Ucieszyła się, że jednak nie będzie musiała jechać sama, choć gdy się podróżuje w Bieszczady z Maxem, nie można mieć żadnej gwarancji, że się nie wjedzie wprost do Jeziora Solińskiego. Zaplanowali wyjazd na początek nowego tygodnia. Ola akurat skończy obrazy, odda do oprawy, upewni się, że Wojtek będzie miał ich gdzie przekimać, i mogą jechać.

*

Do drogi szykował ich Max. Nie zniósłby jedzenia w przydrożnych knajpkach, więc koszyk podróżny przygotowywał bardzo pieczołowicie. Olka zaśmiewała się, że brakuje tylko gotowanych jajek w skorupkach. Umówili się na wyjazd wieczorem. Max lubił prowadzić nocą, a znał zwyczaje Oli i wiedział, że ta zaśnie zaraz po odpaleniu silnika. Tym sposobem będzie miał z głowy jej uwagi co do trasy i sposobu prowadzenia, przynajmniej przez większą część prawie dziewięćsetkilometrowej drogi.

— Wszystko mamy? — zapytała Olka, kiedy już wpakowała się do bagażnika auta Maxa. — Mapy, papiery i inne bajery?

— Ważne, że mamy koszyk z żarciem — stwierdził, upewniwszy się, że go nie zapomniał.

Pierwsze kilometry minęły na organizowaniu się w aucie, bo Olka przecież musiała wziąć swoją nieodłączną poduszeczkę i teraz się mościła. Lubiła jeździć z Maxem, choć w tak długą drogę jeszcze się razem nie wybierali. Najwyżej Praga lub jakieś narty w Czechach, ale to raptem jedna trzecia tej trasy. Przy pierwszej kawie w tekturowym kubku, kupionej na stacji benzynowej (po mniej więcej godzinie drogi nagle poczuła ogromne pragnienie), Olka zaczęła czynić Maxowi wyrzuty. A to że jedzie za szybko, a to że za wolno albo że utrzymuje zbyt mały odstęp za samochodem jadącym przed nimi.

— Nie chce ci się aby spać? To już chyba twoja godzina. — Max wolał, żeby spała, niż marudziła.

Olka obniżyła oparcie, podłożyła sobie pod głowę poduszkę i aby było jej naprawdę wygodnie, powinna jeszcze oprzeć nogi na desce rozdzielczej, jak to robiła, jeżdżąc z Marcinem.

— Obiecaj mi, że jak będziesz senny, to zatrzymasz się na poboczu... Ja też mogę poprowadzić — zaproponowała.

— Dobrze, nie bój się. — Max w życiu nie oddałby jej kierownicy. Wiedział, że Olka jest niezłym kierowcą, ale jednak bardziej ufał sobie.

— Max — Olka półleżała w fotelu i nie widziała twarzy kolegi — co myślisz o tej ciąży Dorotki?

— Co masz na myśli?

— No, że tak nagle... Przecież znają się krótko.

— Wpadki z reguły są nagłe... Nie sądzisz? — Próbował wymigać się od odpowiedzi.

Może on nic nie wie o jej chytrym planie — pomyślała. — I czemu to nie wytrąciło go z równowagi? Przecież czasami zachowywali się jak para. A może to tylko tak wyglądało?

— A jeśli zrobiła to celowo? — Oli zdawało się, że to pytanie nie spowodowało żadnej reakcji Maxa.

— Zrobiła — powiedział bez emocji.

— Co powiedziałeś? — nie wierzyła własnym uszom.

— Zrobiła to celowo — powtórzył. — Najpierw mnie o to prosiła — powiedział jakby nigdy nic.

Ola poderwała się z fotela i w pół sekundy oprzytomniała.

— Coś ty powiedział?

— Olka, na słuch ci padło czy jak? Chciała, żebym to ja zrobił jej dziecko, ale za długo się zastanawiałem. Miałem całą masę wątpliwości. Dla niej to była przysługa, dla mnie trudna decyzja życiowa.

Ola nadal łapała powietrze jak ryba. Nawet by jej to do głowy nie przyszło. Sama nie wiedziała, co o tym myśleć. Najpierw zdawało jej się, że Max się zakochał i nie był Dorocie obojętny, potem okazało się, że za tym ich niby-romansem kryje się pisanie książki kucharskiej, a teraz jak grom z jasnego nieba spada na nią wiadomość, że swój niecny plan bycia samotną matką Dorota próbowała zrealizować przy „użyciu" przyjaciela.

— I chyba minęła mnie jedyna sposobność zostania ojcem — ciągnął. — Teraz może nawet trochę żałuję… zresztą… sam nie wiem, co czuję. Może tak miało być. A może powinienem się zgodzić, zanim ona poznała tego twojego hotelarza.

Prowadząc samochód, kiedy nie musiał patrzeć przyjaciółce w oczy i kiedy mrok ukrywał grymas zawodu na jego twarzy, łatwiej mu wyznać, co czuje albo co wydaje mu się, że czuje.

— Chciałeś się zgodzić? — pytała zaskoczona jego wyznaniem.

— Dużo nie brakowało. Dorota mi się podoba, ale zaproponowała to tak… z grubej rury… Wystraszyłem się.

— Czego?

— Nie wiem. Chyba najbardziej tego, że mnie zdominuje. Jest taka żywotna. Bałem się, że jak już zajdzie w ciążę, będę chciał być z nią już na zawsze, stracę niezależność i może zrobię coś wbrew sobie

— przerwał, westchnął ciężko i dodał: — Bałem się, że unieszczęśliwię ją, siebie i może to biedne dziecko. Bałem się jej desperacji. Więc może tak miało być. I wiesz co? — spojrzał na nią, choć widział jej twarz tylko w świetle reflektorów aut jadących z przeciwka. — Cieszę się, że tak to się skończyło. Może „cieszę się" to złe słowo, ale mi ulżyło. A jeśli jest szczęśliwa, to naprawdę się cieszę.

Coś takiego! — Olka nie była pewna, czy powinna dziwić się obrotem spraw, czy raczej przyjmować wszystko jako normalny bieg rzeczy. Ostatnie wydarzenia tak ją skołowały, że pozwoliła sobie na zignorowanie wszystkich napływających emocji. Może tak właśnie powinno być? Po co przejmować się czyimś życiem, skoro nie można poradzić sobie ze swoim? Po co martwić się planami na życie szalonej koleżanki, kiedy własne życie wymagało natychmiastowego liftingu. Dostrzegała, że w życiu jej znajomych wiele się ostatnio działo. Że jej przyjaciele próbują coś z sobą zrobić, raz wychodzi im lepiej, raz gorzej, ale nie przestają próbować. Tymczasem w jej życiu nastąpiła totalna stagnacja. Niby trochę narozrabiała, ale jakoś nie w tym kierunku, w którym było trzeba.

Czy bez Marcina wszystko zawsze będzie do dupy? Matko kochana, ale skomplikowałam sobie ten żywot… — Przymknęła oczy, by powiekami zatrzymać napływające łzy. Nie rozryczy się przecież przy Maxie, ten gotów ryczeć razem z nią. Kto będzie wtedy prowadzić?

Obudziła się dopiero za Krakowem. Ulubioną podusię i całą siebie przekładała kilkakrotnie, co jednak nie wytrącało jej ze snu. Było jeszcze ciemno, kiedy zaczęła wgapiać się w profil przyjaciela i zastanawiać, po co właściwie jedzie do Wojtka. Czy dlatego, żeby sprawdzić, jak radzi sobie na tym wygnaniu, czy gna ją tam raczej chęć pogadania z kimś, kto potrafi słuchać? A może poczucie ulgi, jakiego doznała po rozmowie z nim, było tak silne, że pragnie znów go zaznać?

Odważny ten Wojtek — podziwiała go w myślach. Postawił wszystko na jedną kartę. Nie bał się porzucić starego życia, nie bał się rozpocząć wszystkiego od nowa, nie bał się piętna wiarołomcy.

— Do spania to ty masz melodię — zaśmiał się Max, który chyba wyczuł, że Olka mu się przygląda.

— A tobie nie chce się spać? Nie jesteś jeszcze zmęczony?

— Moja droga, nawet nie mrugnęłaś, jak po tankowaniu stanęliśmy na jednej za stacji i tam się chwilę zdrzemnąłem. Potem chciałem kupić ci kawę, ale tylko marudziłaś coś pod nosem, więc wypiłem w samotności.

— Gdzie właściwie jesteśmy? — spytała, próbując wypatrzeć jakieś drogowskazy.

— Właściwie to nie wiem. Chyba trochę się zgubiłem.

— No jasne. I zdrzemnij tu się na chwilę — zaczęła się nakręcać. — Wjedź na jakąś stację, to spytamy.

— Nie ma potrzeby.

— Jak to nie ma potrzeby? — zirytowała się. — Wiesz, czemu do znalezienia i zapłodnienia jednego jaja potrzeba około trzech milionów plemników? — Nie czekała na odpowiedź: — Bo żaden nie spyta o drogę. No, zjedź na tę cholerną stację, to sama spytam.

— Nie jestem typowym plemnikiem, już spytałem. Jedziemy w dobrym kierunku, tylko cię podpuszczam — zaśmiał się. — Jeszcze musisz się podleczyć, nakręcasz się szybciej niż kiedyś. Wyluzuj wreszcie, Olka. Życie jest fajne, tylko czasami coś się popieprzy, ale nie ma spraw nie do odkręcenia. Pomyśl o tym czasami i zastanów się, czy możesz jeszcze coś odkręcić. Może warto…

Na miejsce dotarli około południa. Okolica była przepiękna, więc specjalnie się nie śpieszyli. Napawali się widokami. Zmęczone lato jeszcze nie zmieniało kolorów przyrody, ale już ostatnim tchnieniem głaskało zbocza gór.

— Jak tu pięknie — westchnęła. — Nigdy nie zapędziłam się tak daleko. A trzeba było.

Do Myczkowa dojechali już bez kłopotów. Z odszukaniem gospodarstwa wuja Leona też poszło łatwo. Dom z czerwonym dachem był centralną częścią gospodarstwa, ale zdobiły je przerobione na pokoje dla turystów dawne budynki gospodarcze. Olka zawsze marzyła o domu na wsi, najlepiej zaadaptowanym ze stodoły, żeby można było cały środek przerobić po swojemu i dopasować do swojego widzimisię.

Naprzeciwko siebie stały dwa bielone budynki z czerwoną dachówką i ciemnobrązowymi oknami. W oknach wisiały płócienne, haftowane, białe firanki. To domy dla gości. Drzwi obu domów były mahoniowe i ciężkie, ze starozłotymi klamkami w kształcie leżących lwów. Pod ścianami stały ławki, na których teraz leżały dwa kosze z grzybami. Piękne okazy borowików i kozaków wyglądały spod wiklinowych pałąków. Koszy pilnował czarny nowofundland, piękny, dostojny i przyjaźnie przyglądający się przybyłym.

Te trzy domy ustawione w kształt podkowy otwierały się na ogród, a raczej… plac do zadań specjalnych. Każdy mógł tam przyjemnie spędzić czas. Był cienisty ogród z drzewami owocowymi i zielonymi trawnikami, plac zabaw dla młodszych dzieci z huśtawkami i piaskownicą, boisko do siatkówki. Była też altanka z miejscem do grillowania i palenisko, jeśli goście wolą nieco większy ogień. Jednym słowem... prawdziwa sielanka.

— Nareszcie! — Z domu wyszedł Wojtek. Zupełnie inny Wojtek. W kraciastej koszuli, wytartych dżinsach i trampkach. Opalony i uśmiechnięty, bez śladu dawnej rozterki w oczach. Rozłożył ramiona i bez żenady objął nimi Olę. — Cześć, jestem Wojtek — przywitał się z Maxem. — Ty pewnie jesteś Max.

— Cześć. Miło cię poznać, Ola tyle o tobie mówiła. — Podał mu z uśmiechem rękę.

— Wyobrażam sobie. Ale to, co mówiła, jest już nieaktualne. Wierz mi. — Obrócił się w kierunku drzwi domu. — A to mój kochany wuj Leon.

W drzwiach stał starszy pan, przygarbiony i silący się na uśmiech. Miał sympatyczną twarz, ale nie sprawiał wrażenia najszczęśliwszej osoby na świecie.

— Dzień dobry — przywitał się. — Dobrze, że przyjęliście zaproszenie. Martwiłem się już, że Wojtek mi tu zdziczeje. Wojtuś — otoczył ramieniem bratanka — zaproś gości do domu. Zanim zjemy obiad, to jeszcze napijemy się herbaty. Ziemniaki muszą się dogotować.

Weszli do ładnie urządzonej kuchni. Olka od razu się w niej zakochała. Piękny stary kredens królował w jadalni połączonej z kuchnią, której sercem był piecyk kuchenny, tak zwana angielka. Na płycie stał garnek z pachnącą kawą zbożową, ale nie jakąś instant, tylko z prawdziwą pachnącą cykorią i tą cudną goryczką.

— Zaparzę herbaty. A może napijecie się kawy? Jesteście po długiej podróży — mówił wuj Leon.

— A czy mogę napić się tej kawy z piecyka? — spytała nieśmiało Ola. — Tak fantastycznie pachnie, zupełnie jak u mojej babci. Tego zapachu nie zapomnę do końca życia.

— Ależ proszę — zachęcał wuj Leon. — Wojtuś, może najpierw pokazałbyś państwu pokoje? Umyją się po tej długiej drodze.

Ich pokoje znajdowały się w budynku po prawej od domu gospodarzy. Były nowocześnie urządzone i wyposażone w małe łazienki. W każdym pokoju stał jeden mebel, jak mawiała Olka, z duszą. U niej był to przepiękny nocny stolik z witrażami w drzwiach i z maleńką nadstawką. Na tymże stoliku haftowana serweta. U Maxa natomiast już od samego wejścia rzucała się w oczy ciemna, stara bieliźniarka. Choć inne meble były w kolorze jasnego dębu, ciemny mebel nadawał im szyku.

— Ślicznie tu. Ale ci, Wojtek, zazdroszczę — Ola siadła na zasłanym łóżku. — Marzyłam kiedyś o takim życiu.

— Dużo macie teraz gości? — Max wyglądał przez okno na parking, na którym stało kilka aut.

— Tamten dom jest cały zajęty, tutaj, oprócz was, mieszka jeszcze jedna osoba. Kilka pokoi do przyszłego tygodnia będzie wolnych. Potem spodziewamy się małego najazdu, głównie grzybiarzy. Ale chodźmy, wujek bardzo cieszył się na wasz przyjazd — zaśmiał się. — Pewnie boi się, że nie wytrzymam tu bez przyjaciół i go zostawię.

— Zostawiłbyś? — spojrzała na niego kątem oka.

— Coś ty! Kocham wuja i to miejsce. I nie jestem tu wcale taki samotny — uśmiechnął się tajemniczo. — Ale chodźmy, napijemy się czegoś ciepłego, a potem podam obiad.

— Ty? — Ola zrobiła duże oczy.

— Dziś ja. Mój dyżur.

Wrócili do kuchni, gdzie tak cudnie pachniało życiem. Olka przykleiła się do kubka z lekko posłodzoną kawą i małą ilością mleka, Max pił mocną herbatę z sokiem z kwiatów czarnego bzu. Pachniało latem, wsią i absolutną sielanką. Wojtek kręcił się po kuchni, wyjmował nakrycia z kredensu i zaglądał do garnków na piecyku.

— Może ci pomogę — zaproponowała, unosząc się z ławy za długim stołem.

— Nie, dziękuję. Już nabrałem wprawy. — Wojtek postawił stos talerzy i zerknął na zegar na ścianie. — Zaraz będziemy mogli jeść.

Ola jednak postanowiła pomóc, a może chciała z bliska przyjrzeć się kredensowi, podeszła więc do niego i spytała:

— Tu są sztućce? Pomogę.

Otworzyła szufladę i zaczęła wyjmować widelce i noże.

— Przygotuj dla pięciu osób — odezwał się Wojtek. Ktoś tymczasem stanął w drzwiach. — A oto trzeci członek naszej rodziny.

Ola odwróciła się do gościa i zamarła. Widelce wypadły jej z ręki z głośnym brzękiem. W drzwiach stała Mariolka. Uśmiechnięta i promieniująca szczęściem.

— Matko kochana! Mariola! — Ola rzuciła się jej na szyję. Ściskały się i obie ryczały. — Mariolka, jak się cieszę. Boże, jak ja się cieszę! — szlochała Ola.

Trzej mężczyźni przyglądali się im ze wzruszeniem. Znali przecież tę historię. Uściskom nie było końca, więc Wojtek podszedł do dziewczyn, objął je ramieniem i ponaglił łagodnie:

— Moje gwiazdy, jeszcze się sobą nacieszycie. Teraz siadamy do stołu. Mariolka, umyj ręce przed obiadem — wydał polecenie jak ojciec dziecku. Mariola grzecznie poszła do łazienki.

— Jak to... jak to się stało? — Ola nie potrafiła pozbierać się po tym wstrząsie. Dorota mówiła, że Mariolka zmienia szkołę, ale tego by się nie spodziewała. Mariola wróciła z łazienki, stanęła na środku kuchni i pokazała Oli wierzch dłoni. Na palcu tej wiecznie skromnej kobiety nieznoszącej żadnych ozdób błyszczał pierścionek. Prześliczny. Stara, ręczna robota. Wojtek uśmiechnął się promiennie.

— Mariola zgodziła się zostać moją żoną. W sobotę bierzemy ślub i mam nadzieję, że będziecie naszymi świadkami. Zgódźcie się, proszę, bo i tak nie wypuścimy was stąd wcześniej — wyrecytował niemal jednym tchem.

Obiad przebiegł w atmosferze podniecenia, Olka nawet nie zapamiętała, co jadła. Prócz tego, że było pyszne. Po obiedzie panowie poszli posiedzieć przed domem, a dziewczyny wzięły się do sprzątania ze stołu.

— Mariola, jak to się stało — Olka wycierała zmywane przez młodą gospodynię naczynia. — Myślałam, że się nie lubicie.

— Ja też tak myślałam — westchnęła. — Wojtek przyszedł pożegnać się przed wyjazdem i przeprosić mnie za te wszystkie przykrości. I nawet się cieszyłam, że wyjeżdża tak daleko. Ale... bez koloratki wyglądał tak jakoś mniej strasznie, nie wiem... — przerwała.

— No i pojechałaś z nim?

— Nie, coś ty! — oburzyła się. — Dopiero jak wyjechał... Potem dzwonił i mówił, jak się urządził, zrobiło mi się tak jakoś żal...

— I z tego żalu tu za nim przyjechałaś? — Olka była bezlitosna.

— Nie, ale coraz częściej o nim myślałam. Zaczęliśmy mailować, potem rozmawiać na Skypie i wiele sobie wyjaśniliśmy.

— I wtedy do niego przyjechałaś? — myślała, że to koniec opowieści.

— Olka, nie! — trzymała ją w niezaspokojonej ciekawości. — Dopiero jak mi zaczął opowiadać, jak trudno mu radzić sobie z gospodarstwem, z przygnębieniem wuja Leona i jak czuje się tu samotnie, coś mnie ścisnęło w dołku. Nie wiem, co to było. Ale tak się zaczęło.

Skończyły sprzątanie i siadły przy stole. Mariolka dalej ciągnęła swoją opowieść:

— Zaczęłam radzić mu przez Internet i pomagać, jak tylko mogłam. Ale wiesz, na odległość niewiele można.

— I wtedy tu przyjechałaś.

— I wtedy tu przyjechałam — wreszcie zgodziła się ze zniecierpliwioną Olą. — Pomagałam przy gościach, gotowałam i... spodobało mi się to. Kiedy miałam już wracać do domu, Wojtek zaproponował mi swoją posadę w tutejszej szkole i poprosił, żebym została. — Mówiąc to, bawiła się pierścionkiem, obracając go na palcu.

— Piękny — Ola uniosła dłoń Marioli bliżej oczu, żeby przyjrzeć się temu cacuszku. Kilka małych brylancików otaczało krwistoczerwony rubin.

— Wtedy mi się oświadczył.

— O, matko... — Ola zakryła usta dłońmi i wzdychała... — I co, i co?

— I nic. Zgodziłam się — patrzyła na pierścionek cioci Zofii i uśmiechała się z rozrzewnieniem. — Zostałam. Poszłam do pracy zamiast Wojtka. Przyjęli mnie tam bardzo życzliwie. Mam goły etat, religia i trochę opieki świetlicowej nad dowożonymi do szkoły dziećmi. Ale niczego więcej nie potrzebuję — machnęła ręką. — Nawet nie wiesz, jak tu jest inaczej.

— Serio pobieracie się w tę sobotę? — spytała Olka. — Tak szybko?

— Jakie szybko? Znamy się przecież niezłych parę lat. A zresztą... już bylibyśmy po ślubie, ale chcieliśmy zrobić wam niespodziankę i poprosić na świadków, więc w ostatniej chwili przełożyliśmy.

— Dało się tak? Przecież jakieś terminy obowiązują — dociekała Ola.

— Ola, co się miało nie dać? Ślub cywilny w urzędzie gminy zamówiony, świadkowie dojechali. Obawiam się, że będziecie naszymi jedynymi gośćmi. Przecież rodzice Wojtka już go wyklęli, a moja mama nie pokona takiej odległości — przerwała. — Zostaniecie, prawda? Proszę cię.

— Mariolka, jasne! — zgodziła się. — Ale nie mam dla was prezentu — uzmysłowiła sobie nagle.

— Ola, proszę cię... Prezentu? Ty już mi zrobiłaś prezent. Tam, w szkole. Kiedy walnęłaś Wojtka w twarz — uśmiechnęła się szelmowsko. — To odmieniło jego życie... i tym samym moje. Dziękuję ci za to... Nikogo nie było na to stać, choć wszyscy widzieli, co się działo. Zrobię to teraz, bo wcześniej nie miałam okazji... Dziękuję, Ola — zawisła jej na szyi.

Kiedy już wytarły łzy, postanowiły dołączyć do panów. Siedzieli na ławce przed domem, wuj Leon palił fajkę, a Wojtek i Max obierali grzyby. Okazało się, że był to poranny zbiór gospodarzy. Naprzeciwko Maxa siedziała czarna suka rasy nowofundland i nie spuszczała z niego wzroku. Max raz po raz głaskał ją po wielkiej głowie i przemawiał do niej pieszczotliwie. Kiedy postanowili obejrzeć zagrodę, Nora szła za Maxem krok w krok. I od tej pory nie odstępowała go nawet na moment.

Do wieczora wałęsali się z wolna po wsi i podziwiali okolicę. Długa droga dała im się we znaki i postanowili wcześniej się położyć. Max jeszcze rozmawiał z wujem Leonem, dopytywał o drogę nad Solinę, o grzybne lasy. Było widać, że przypadli sobie do gustu.

— Miły ten pan Leon. Nie dziwię się Wojtkowi, że nie chce się stąd nigdzie ruszać — powiedział Max, stając w drzwiach pokoju Olki. — Fajnie się tu urządził.

— No — pokiwała głową. — I do tego jeszcze Mariolka... Ma facet fart. I pomyśleć, że „jam to, nie chwaląc się, sprawiła".

Siadł w fotelu obok Olki, która już od godziny leżała pod kołdrą i próbowała podsumowywać swoje życie. A że nie było specjalnie o czym myśleć i powieki same opadały, dała sobie spokój i odpłynęła w objęcia Morfeusza.

*

Obudził ją śpiew ptaków za oknem, spojrzała na zegarek... prawie ósma.

Matko kochana, spałam dziesięć godzin... nieźle. Nie urżnęłam się, nie brałam leków i tak długo spałam? — ucieszyła się. Była wypoczęta i pełna energii. Leżała tak w pościeli i rozmyślała o Mariolce i Wojtku. Cieszyła się ich szczęściem.

Co to, może ja jestem jakaś dobra wróżka albo anioł stróż? — uśmiechała się na tę myśl. — Ale teraz, dobra wróżko, rusz tyłek, bo chciałaś pójść na grzyby.

Rzecz jasna do lasu Max nie puściłby jej samej. Może nie pożarłyby jej wilki (niechby tylko spróbowały, dostałyby za swoje), ale z całą pewnością nie wróciłaby już w to samo miejsce. A miejsce bardzo jej się podobało. Siedziała w łóżku otulona pościelą, patrzyła w okno i oddychała pełną piersią. Od pewnego czasu nie często jej się to zdarza, nerwy jednak robią swoje. Ale tutaj czuła się jakoś inaczej. Może pewność, że swoim impulsywnym zachowaniem w szkole nie skrzywdziła nikogo oprócz siebie (to przecież ona jest w odstawce), a może unaocznienie sobie szczęścia tych dwojga sprawiało, że mogła naprawdę odetchnąć z ulgą.

— Max — błądząc pomiędzy drzewami, starała się zachować z nim choć kontakt głosowy, bo wiecznie znikał jej z oczu — czy myślisz, że ten ich pomysł ze ślubem nie jest przedwczesny?

— Przedwczesny? Na pewno mówisz o ślubie? — droczył się z nią. — Przecież poczekali na nas.

— Głupi! Wiesz, o czym myślę — zawiesiła głos. — Wszystko dzieje się tak nagle. Oni się pobierają, Dorota funduje sobie singielskie dziecko…

— Jak nagle? Dorota nie jest już za młoda na taką decyzję, oni zresztą też. Więc pokaż mi ten pośpiech — stanął, zajrzał jej do koszyka. — A tak w ogóle, to czemu nie szukasz grzybów?

— Jak to czemu? — złapała się pod boki. — Przecież ciągle muszę szukać ciebie, nie mam czasu na grzyby. Ciebie przynajmniej pilnuje Nora — wskazała czarną sukę stojącą przy nodze Maxa — a mnie kto ma pilnować, skoro ty ciągle patrzysz pod nogi? Zresztą — spojrzała z podziwem na jego niemal już pełen koszyk — z twoimi i tak już będzie masa roboty.

— A masz tu jakieś inne zajęcie? Bo ja z przyjemnością pobawię się tymi zbiorami. Skup się wreszcie na grzybach. Nora, pilnuj Oli.

Nora spojrzał na Olkę i rzeczywiście zmieniła obiekt zainteresowań, choć gdy Max się oddalał, ciągle za nim spoglądała.

No, teraz to co innego — uspokoiła się Ola i zabrała do grzybobrania. Całą tę furę grzybów trzeba potem przerobić. Wuj Leon miał już wypróbowane metody i przepisy. W obejściu jest nawet specjalna suszarnia do grzybów, z której goście chętnie korzystają i do domu wiozą już gotowy produkt. Jest też letnia kuchnia, gdzie można robić przetwory. I choć czasami spotykają się tam dwie a nawet trzy kucharki, dla nikogo nie brakuje miejsca, a atmosfera podczas tych spotkań jest bardzo serdeczna, panie popijają kawę, wymieniają się przepisami i plotkują.

Kiedy po obiedzie siedzieli na ławeczce i walczyli z górą darów lasu, Max spytał:

— Jak myślisz, Ola, byłbym dobrym właścicielem psa?

— Jej o to spytaj — wskazała na Norę, która jak zawsze siedziała naprzeciw i śledziła każdy ruch Maxa.

— Może sprawię sobie takiego pilnowacza — zadumał się.

— Jeśli jesteś zdecydowany, to nawet nie musisz długo czekać — wuj Leon wychodził zza domu i słyszał rozmowę. — Chodź, coś ci pokażę.

Max zerwał się z ławki i podreptał za gospodarzem, a Nora ruszyła za nim. Poszli aż za cienisty ogród, gdzie stała altanka na narzędzia ogrodnicze i wiata na rowery. Wewnątrz altanki na posłaniu leżały dwie czarne kudłate kulki. Kiedy usłyszały otwierane drzwi, rozbłysły im oczy i zaświeciły się noski. Różowe języczki wyraźnie wskazywały, gdzie owe kulki mają głowy.

— O w mordę! Jakie śliczne! — Max chciał podejść, lecz pan Leon złapał go za ramię.

— Czekaj! — przytrzymał go. — Nora nikomu nie pozwala do nich podejść. — Tymczasem Nora spokojnie obwąchała swoje maluchy i siadła przy nodze Maxa. — Ale może tobie pozwoli. Spróbuj.

Max, cały czas spoglądając na sukę, powoli podszedł do czarnych kulek. Kucnął przy nich, ale nawet to nie wywołało niepokoju u Nory.

— Mogę je pogłaskać? — spojrzał na wuja Leona, który wzruszył ramionami.

— Nie mam zielonego pojęcia. Spróbuj.

Max powoli wyciągał rękę w stronę piszczących kulek. Miękka sierść pieściła jego palce, przesuwała się pomiędzy nimi i przyjemnie łaskotała. Nora przysunęła się bliżej, ale nie protestowała. Max delikatnie wziął na ręce jednego, a potem drugiego szczeniaka. Okazało się, że to piesek i suczka. Małe kwiliły, ale matka nie wyrażała zaniepokojenia.

— Nikomu jeszcze nie pozwoliła ich dotknąć. Wyraźnie coś do ciebie czuje — zaśmiał się wuj Leon. A po chwili dodał: — Może chciałbyś jednego?

— Nie żartuje pan? — Max wyraźnie się ucieszył. — Chciałbym takiego. Nigdy nie myślałem o psie, ale Nora jest taka fajna — pogłaskał ją po wielkim łbie. — Pewnie, że bym chciał.

— No to wybierz sobie jednego. Muszą jeszcze trochę podrosnąć, ale wierzę, że nie jesteście tu ostatni raz — uśmiechał się do Maxa. Wiedział, że jego podopieczny będzie miał u niego dobrze.

— Dziękuję, będę o niego dbał.

— Wiem.

I tak oto Max został właścicielem małej czarnej kulki ze śmiejącymi się paciorkami, mokrym noskiem i różowym języczkiem.

*

Na wieczór zaplanowano ognisko... dla wszystkich chętnych pomieszkiwaczy. Letnicy spotykali się tylko na późnym obiedzie, kiedy w kuchni wuja Leona Mariolka albo Wojtek podawali do stołu. Ola chętnie im teraz pomagała. Miała wtedy okazję porozmawiać z obojgiem.

Mariola emanowała szczęściem i pozytywną energią. Raz po raz spoglądała na zaręczynowy pierścionek cioci Zofii, który teraz ona nosiła na serdecznym palcu.

— Wiesz, Ola... nigdy nie myślałam, że życie może się tak odmienić. Nadal robię, co lubię, mieszkam w pięknym miejscu, a niedługo zamieszkam z facetem, którego kocham.

— Jak to niedługo? — zdziwiła się Ola i aż stanęła ze stertą talerzy w drodze do kredensu. — To gdzie ty teraz, do cholery, mieszkasz?

— Mam pokój nad twoim. Nie wiedziałaś?

— Do głowy mi nie przyszło, że nie mieszkasz z Wojtkiem — zdziwiła się. Ale kiedy wstawała rano, Mariola była już w szkole, a kiedy kładła się spać, koleżanka jeszcze krzątała się po obejściu.

— Ola! Przed ślubem? — oburzyła się. — Nie mogłabym.

— Matko kochana! Powiedz mi jeszcze, że jesteś dziewicą — sądziła, że zażartowała.

— Co w tym złego? — Mariola spłonęła rumieńcem koloru dobrze wybarwionego buraka. — Myślisz, że mnie wyśmieje? — wystraszyła się.

Ola odstawiła talerze, wzięła ją za obie ręce i spojrzała jej w oczy.

— Mariola, nawet nie mów mi, że masz takie wątpliwości. Nawet mi nie mów! To by znaczyło, że mu nie wierzysz, że nie wierzysz w jego miłość. A tego bym nie zniosła. Jesteście dla siebie stworzeni, szukaliście się długo i wiele wycierpieliście. Oboje. Nawet mi tego nie mów — uściskała koleżankę. I szepnęła jej na ucho: — Bardzo się zdziwi, będzie mile zaskoczony, zobaczysz.

— Dziękuję ci, Ola, jesteś wspaniałym człowiekiem.

— Oj, Mariolka, Mariolka — znów spojrzała jej w oczy. — Spotkasz jeszcze wielu wspaniałych ludzi, tylko tak od nich nie uciekaj. Chodź, pomożemy im przy tych grzybach, bo ognisko przejdzie nam koło nosa.

*

Jeszcze przed ogniskiem, kiedy Ola poszła do pokoju odziać się nieco cieplej, zobaczyła na ekranie swego telefonu nieodebrane połączenie. Dzwoniła Dorota.

Aha! — pomyślała — może ma mi coś ważnego do powiedzenia, lepiej oddzwonię.

— Cześć, Dorotka. Nie miałam z sobą telefonu, więc oddzwaniam. Co tam?

— No, wiesz! Co tak milczycie? Czy nic się tam nie dzieje? — Dorota czekała na jakieś nowiny.

— O, dzieje się, dzieje. Max właśnie dostał psa — Ola postanowiła na razie nie mówić Dorocie o Marioli i Wojtku, chciała ją powiadomić w sposób bardziej spektakularny. Wyśle jej zdjęcie z ich ślubu. — To będzie numer — już śmiała się w duchu.

— Co takiego? Max i pies? Nie wierzę!

— Uwierz. Piękna suka rasy nowofundland ma dwa szczeniaki i jednego z nich dostał Max. I nawet nie wiesz, jak się cieszy.

— Co u Wojtka? Odnalazł się w tej głuszy? Jak tam jest? Opowiadaj! — ponaglała.

— Dorota, tu jest cudnie. Jak na wakacjach u babci. Jego wuj to wspaniały facet i taki... sama nie wiem. Ale czujemy się tu jak u siebie. Już rozumiem, czemu mają takie obłożenie. Wojtek zachowuje się tak, jakby nic innego w życiu nie robił. Jakby to życie tutaj właśnie na niego czekało.

— To bardzo dobrze. Trochę się bałam, że będzie nieszczęśliwy — odetchnęła. — Ola, powiedziałaś Wojtkowi o mojej ciąży?

— Jak miałam powiedzieć mu o twojej ciąży, jak ty nie powiedziałaś jeszcze sprawcy tejże. Chyba, że powiedziałaś? Dorota, powiedz, że Krzyś już wie.

— Jeszcze nie — ciężko westchnęła. — Trochę się boję.

— Czego?

— Że zachowa się jak dżentelmen i będzie chciał się ze mną ożenić.

— A co w tym złego? Nie chciałabyś? Dorota, powiedz szczerze... nie chciałabyś?

— Może bym i chciała... ale nie w ten sposób. Nie chcę, żeby myślał, że złapałam go na dziecko. Tak nie chcę! — łamała się.

Jeszcze niedawno była zaprzysiężoną singielką i chciała wychowywać dziecko samotnie. Teraz już nie była tego taka pewna. Czekała ją jeszcze rozmowa z matką, a tego bała się najbardziej.

— Kiedy wracacie? — dopytywała.

— Dopiero po ś...niadaniu w niedzielę — o mały włos by się wygadała.

— Po śniadaniu? Co ty gadasz?

— Niedzielne śniadanie jest tu bardzo uroczyste, więc wyjedziemy dopiero po nim — kłamała, a nos... rósł jej coraz bardziej.

— Zadzwoń czasem do ciężarnej w rozterce. Pomyśl czasem o mnie. I ucałuj Wojtka i Maxa.

— Masz to jak w banku. Trzymaj się i pamiętaj, co masz zrobić. Pa.

Ciekawe, kiedy wreszcie powie o ciąży Krzysztofowi i mamie. Tego jej nie zazdroszczę — współczuła koleżance. Włożyła na siebie dres (cieplejszy, bo i tak cały boży dzień chodziła w dresie) i z dna torby wyjęła butelkę metaxy. Może się przyda.

*

Na ognisko przyszli niemal wszyscy letnicy. Pani Teresa z mężem Stasiem, pani Krysia z panem Mietkiem, Renia i Hanna, dwie siostry bliźniaczki, które przyjeżdżają tu od zawsze na grzybobranie i są w tym mistrzyniami, pan Roman z niepełnosprawnym synem Tomkiem, dwie nowo przybyłe młode kobiety, których grzyby specjalnie nie obchodziły, no i Ola, Max z Norą przy nodze, Wojtek z Mariolką i wuj Leon.

— Nie wiem, czy przygotowałyśmy dość sałatki do grilla — zwątpiła Ola.

— Nie martw się, zawsze jeszcze zostaje. Mięso i to — Wojtek wskazał na baterię butelek stojących w skrzynce po owocach — jest znacznie ważniejsze. Ale zabawa zwykle jest bardzo udana... No, chyba że pan Mietek się urżnie. Wtedy... też jest niezła zabawa.

Panowie przepychali się przy grillu i ognisku, nie dając kobietom porządzić przy mięsach. Sami je piekli i gotowe układali na dużych półmiskach. Za to Renia i Hania dorwały się do butelek.

— Oj, będzie ostro — wuj Leon ruchem głowy wskazał siostry. — Polewają jak zawodowcy.

Zabawa szybko się rozkręcała. Ola dostawiła swoją butelkę do reszty, ale jakoś nikt nie gustował w metaxie, toteż miała ją na wyłączność. Chciała pomagać Mariolce w czynieniu honorów pani na zagrodzie, ale wuj Leon powstrzymał je obie, mówiąc, że tutaj każdy musi sobie radzić sam i to one, mając najkrótszy grillowy staż, wymagają wsparcia. Podtykano więc im co lepsze kawałki i pilnowano, żeby w szklaneczkach nie było widać dna, co Oli absolutnie nie przeszkadzało.

Kiedy zrobiło się już ciemno i kiedy nowi z całą resztą byli już na ty, zaczęły się śpiewy.

— Coś taka zamyślona? — Ola siadła na ławce obok Marioli. — Martwisz się czymś?

— Rozmawiałam z mamą — westchnęła. I chociaż zwykle nie mówiła wiele o swoim życiu, pod wpływem małego co nieco się rozgadała. — Nie podobało się jej, że jadę za Wojtkiem. W ogóle nie podobało się jej, że wyjeżdżam. A jak powiedziałam, że Wojtek mi się oświadczył, to odłożyła słuchawkę.

— Dlaczego?

Ola trochę się zdziwiła, bo Mariola nie była pierwszej młodości i raczej druga wielka miłość mogłaby już się jej nie trafić.

Czy matka chciała ją pozbawić własnego życia? — zastanawiała się.

— Pewnie liczyła na to, że zostanę z nią na starość. I pewnie też dlatego, że Wojtek był księdzem i ślub weźmiemy tylko cywilny. Wiesz, Ola, mam tylko brata...

— No i co, ja mam dwóch — zaśmiała się.

— Ale mama całe życie powtarzała, że zostanę przy niej, że będę jej podporą na starość... Nigdy nie brała pod uwagę tego, że mogę chcieć czegoś innego. Nawet jak ktoś się przy mnie zakręcił, to mama szybko go zniechęcała.

— Mariolka, to twoje życie, twoje własne. Nie pozwól, żeby ktokolwiek przeżywał je za ciebie. — Olka odstawiła szklaneczkę i wzięła koleżankę za rękę. — Tylko raz jesteśmy na tym świecie, no chyba że wierzysz w reinkarnację... Ale na twoim miejscu na to bym nie liczyła. Nie daj zabrać sobie życia. — Sięgnęła po szklankę i dolała sobie trunku. — Chcesz? — uniosła butelkę.

— Lej, co tam. Niech to będzie mój wieczór panieński.

— O, moja droga. Wieczór panieński to sobie jeszcze urządzimy. Ja ci go urządzę.

Mariola uśmiechała się pod nosem, ale cały czas myślami była gdzie indziej. Ola patrzyła, jak Wojtek przytula narzeczoną i ociera jej łzy.

Biedna kobieta — po cichu jej żałowała. — Jak dobrze, że walnęłam tego Wojtka w pysk. Ile szczęścia z tego się zrobiło. To nic, że teraz jest trochę nie w sosie, minie jej. Za to resztę życia spędzi u boku zakochanego faceta... Że też mnie nikt w czas nie obudził — westchnęła.

Potem Wojtek z Mariolką zaprosili wszystkich na sobotniego weselnego grilla. Toastom za zdrowie narzeczonych nie byłoby końca, gdyby nie pan Miecio, który tradycyjnie pierwszy się upił i padł na trawę jak długi. Max rzucił się do zbierania poległego, na co wuj Leon złapał go za ramię, machnął ręką i uspokoił:

— Daj spokój. Na grawitację nic nie poradzisz. On tak zawsze.

— Tak, tak. Niech leży i odpoczywa, przynajmniej nie rozrabia. Zdrzemnie się i sam przyjdzie do pokoju — pani Krysia wyraźnie się nie przejmowała.

Wieczór zakończył się wesoło, wszyscy poszli do swoich pokojów, z wyjątkiem pana Miecia, który chrapał na trawie obok dogasającego ogniska. Wuj Leon nakrył go kocem, a Nora położyła się obok.

— Kryśka, nie dziś. Głowa mnie boli — mruknął przez sen, odpychając Norę, która lizała go po twarzy. Tej nocy to ona będzie się do niego przytulać zamiast roześmianej pani Krysi.

*

Piątek przyniósł same niespodzianki. Kiedy Mariola wróciła ze szkoły, na podwórzu zobaczyła samochód brata. Obawiała się zachowania mamy, ale o Bogdanie nawet nie pomyślała. Bogdan, brat Marioli, niewysoki blondyn o niebieskich oczach, siedział na ławce przed domem i rozmawiał z Wojtkiem. Na widok Mariolki poderwał się na równe nogi i podbiegł do zdziwionej siostry. Uniósł ją jak małą dziewczynkę i zakręcił się z nią kilka razy.

— Coś ty sobie myślała, maleńka? Że nie przyjadę na twój ślub? — ściskał ją i głaskał po włosach. — Nie przepuściłbym tego. Nigdy. I zobacz, kogo ci przywiozłem — odwrócił ją przodem do frontu domu.

Z domu wyszła ich mama w towarzystwie wuja Leona. Minę miała nietęgą i nie bardzo wiedziała, jak się zachować po fochach, jakie zaserwowała córce przez telefon. Jednak Mariola wiedziała, co zrobić. Podeszła do matki i objęła ją za szyję.

— Mamo, tak się cieszę, że jednak przyjechałaś.

Kobieta stała wyprostowana. Doskonale zdawała sobie sprawę z obserwujących tę scenę kilku par oczu, ale i tak nie potrafiła wykrzesać z siebie nawet odrobiny serdeczności. Mariola czuła ten chłód i łzy napłynęły jej do oczu.

— Nie cieszysz się, że jestem szczęśliwa? Nie o to ci chodziło? Przecież chciałaś, żebym ułożyła sobie życie — Mariola rozpaczliwie domagała się potwierdzenia swych słów. Przytulała się do matki jak dziecko obawiające się odepchnięcia.

— Ale myślałam, że będziesz szczęśliwa ze mną, że ułożysz je sobie przy mnie. Nie sądziłam, że ode mnie odejdziesz. Miałam nadzieję, że będziesz moją podporą na starość.

Boże mój, przecież ona ma te same problemy co ja. — Wojtek przyglądał się scenie z niewypowiedzianym żalem. — Tyle że jej matka w końcu przyjechała. A gdzie jest moja?

— Ja będę — niespodziewanie wtrącił się Bogdan. — Masz przecież jeszcze mnie. Zapomniałaś, mamo? — roześmiany podszedł do przytulonych matki i siostry i je objął. — Oj, kobiety. Zawsze o mnie zapominacie.

Bogdan od dawna nie wiedział, co ma z sobą w życiu zrobić. Cały czas pracował za granicą. Nie miał większych wymagań, więc chwytał się wszystkiego. Wracał do kraju, przepuszczał pieniądze i znów jechał na obczyznę zasuwać jak wyrobnik. Mariola nie mogła zrozumieć, jak facet, który nie miał problemów w szkole, może być tak pozbawiony jakichkolwiek ambicji. Bogdan rzucił szkołę rok przed maturą, bo zamarzyła mu się praca za granicą, a właśnie nadarzyła się okazja. Mama nie była zadowolona, ale nie miała siły przebicia, a jej mąż już nie żył. Jego jednego Bogdan by posłuchał. Może dlatego, że się go bał. Wracał więc co jakiś czas, nie myśląc o przyszłości i tracąc widoki na poukładane życie. Teraz nie miał już żadnych perspektyw na porządną pracę w kraju, lata leciały i coraz ciężej było wyjeżdżać za chlebem. Nie miał rodziny, stałego mieszkania ani oszczędności. Zamieszkanie z matką w pokoju zostawionym przez Mariolę było dla niego świetnym rozwiązaniem. Przynajmniej na razie.

— Wejdźmy do kuchni, przecież Mariolka jeszcze nie jadła obiadu — wuj Leon ratował sytuację.

*

Kiedy emocje opadły i wszyscy rozeszli się do swoich zajęć, Ola z panią Krysią i siostrami grzybiarkami zabrały się do organizowania wieczoru panieńskiego. Imprezę chciały przygotować w letniej kuchni i Oli bardziej przypominało to darcie pierza, jakie pamiętała jeszcze z wakacji u babci, ale lepszy taki wieczór panieński niż żaden. W prezencie dla młodej panny dziewczyny miały zakupiony ze składkowej forsy komplet koronkowej bielizny. Biały, elegancki, niezbyt wyzywający... Bały się, że Mariola się spłoszy. Naśmiały się przy zakupach, bo każda wybierała coś innego. W końcu pani Krysia zdecydowała.

Wieczorem, kiedy panowie poszli do ogrodu posiedzieć przy ognisku, panie rozpoczęły imprezę. Przyszła nawet mama Marioli. Nie miały tortu, z którego wyskoczyłby umięśniony strażak, ale i tak dobrze się bawiły. Kiedy pani Terenia i Krysia lekko zakropiły podane przekąski, posypały się pikantne dowcipy.

— Słuchajcie! Przede wszystkim ty, Mariolka, to ważne! — przekrzykiwała wszystkich pani Krysia. — Wiesz, co możesz powiedzieć facetowi w łóżku, zaraz po numerku? — zawiesiła głos i spojrzała na czerwieniącą się narzeczoną. — Co tylko chcesz. Bo i tak on już śpi. —Śmiały się wszystkie, nawet mama Marioli.

— Albo słuchajcie tego — Olce udało się zwrócić uwagę roześmianych kobiet. — Dlaczego faceci nadają imiona swoim, no wiecie, interesom?

— Znam to! Bo nie mogą pozwolić, żeby ktoś obcy podejmował za nich decyzje! — zaskoczyła wszystkich Mariola. I zaraz się tłumaczyła: — Słyszałam, jak opowiadałaś to w pokoju nauczycielskim.

Kurczę — Olka spoglądała na rozbawione kobiety — nigdy nie myślałam, że można się tak dobrze bawić z własnymi matkami. No tak. Ale przecież... One nie są tak dużo ode mnie starsze. Cholera!

Tymczasem panowie próbowali przy ognisku spełnić swą groźbę i spoić narzeczonego, który po dwóch godzinach był jedynym trzeźwym facetem (oczywiście nie licząc syna pana Tomka, on i bez tego świetnie się bawił). Pan Mietek znów spał na trawie, a reszta wykrzykiwała pikantne przyśpiewki. Prym wiódł wuj Leon, czym bardzo ucieszył bratanka, bo przez całe to zamieszanie z Mariolką, ślubem i nowym życiem Wojtka przestał być taki odległy i smutny. Byliby się bawili dłużej, ale spadł zapowiadany wcześniej deszcz, więc wciągnęli pana Mietka pod dach, nakryli kocem i poszli spać.

*

Sobotnie przedpołudnie zeszło na przygotowaniach do ślubu. Miał być cichy i tylko dla małżonków, świadków i wuja Leona, a zrobiła się z tego niezła letniskowo-rodzinna impreza. Niezbędni pojechali do urzędu, a reszta przygotowywała ogrodowe przyjęcie. Ola zanosiła dzięki do niebios, że nauczona doświadczeniami z Niesulic wzięła sukienkę. Pojęcia nie miała, po co ją pakuje, ale widać niebiosa czuwały.

— Max, weź mój telefon i rób zdjęcia w urzędzie — poprosiła Ola.

— Po co telefonem? Przecież będę robił aparatem. — Max mógł pełnić funkcję fotografa, bo skoro na uroczystość przyjechał brat Marioli, to zdecydowali, że on będzie świadkiem.

— Proszę, zrób choć kilka. Muszę je potem komuś wysłać — mrugnęła do niego. — Będzie niezły ubaw.

— Nie powiedziałaś Dorocie o ślubie? — zdziwił się.

— Nie powiedziałam nawet, że Mariola tu jest.

— O w mordę misia! Chciałbym widzieć jej minę — zamarzył na głos.

— Ja też.

Uroczystość ślubna jak to uroczystość. Trochę strachu, trochę łez i śmiechu. Przyszły dzieci ze szkoły z kwiatami, co wprawiło Mariolę w zdumienie, bo nikomu nie mówiła o ślubie, ale okazało się, że uczy dziecko wójta. I wszystko jasne.

W domu letnicy czekali już przy bramie. Wszystko odbyło się tradycyjnie, jak należy. A że każdy z letników był z innej części regionu, z tradycji zrobił się niezły miszmasz. Dość powiedzieć, że wszyscy byli zadowoleni, rozbawieni i życzyli szczęścia młodej parze na wiele znanych sobie sposobów. Dziwne to było wesele, bez rozsadzania gości przy stole (tylko dla młodej pary były przygotowane krzesła ozdobione białymi obrusami i kwiatami), bez tradycyjnych potraw na stole (panowie znów rządzili przy grillu i ognisku), bez prezentów. Mały, wykładany kamieniami podest był otoczony palącymi się świecami, a na drzewach wisiały lampiony. Widok wprost bajeczny. Muzyka z płyt rozbrzmiewała spomiędzy drzew i jedynym weselnym elementem był tort, który za namową mamy Marioli przywiózł wcześniej Bogdan. Dwupiętrowy, malinowo-śmietankowy z dwoma serduszkami na szczycie. Trochę pretensjonalny, ale pyszny!

Toastom i przemowom nie było końca. Każdy chciał powiedzieć coś młodej parze. I niekoniecznie były to mądrości życiowe czy wskazówki na przyszłość. A może i były. Siostry grzybiarki na przykład zdradziły młodym swoje tajne rydzowe miejsce.

Goście jedli i tańczyli zupełnie jak na prawdziwym weselu, tylko chyba było nieco weselej. Max cały czas rozmawiał z Bogdanem na tematy bliżej nikomu nieznane.

— Masz tu telefon i wysyłaj — Max podał Oli aparat.

Jako pierwsze Olka wybrała zdjęcie z salki ślubów, na którym Mariola i Wojtek stoją przed urzędnikiem. Nie czekając na odpowiedź, wysłała następne, zrobione przed urzędem. Na tym zdjęciu dzieci wręczały Marioli kwiaty. Potem następne z tortem. I jeszcze jedno, zrobione specjalnie dla Doroty, na którym byli w czwórkę.

Po kilku minutach rozległ się dzwonek telefonu.

— Ola, do cholery! Co to jest? — Dorota krzyczała do słuchawki. — Coś ty mi przysłała? Czy to jakiś fotomontaż? Mów mi zaraz!

— Uspokój się — Olka nie mogła powstrzymać emocji. — Jesteśmy na weselu Marioli i Wojtka.

— No przecież widzę! Ale czemu?

— Bo nas zaprosili.

— Nie o to pytam. Skąd się tam wzięła Mariola? — niecierpliwiła się.

— Przyjechała pracować w innej szkole. Przecież sama mi to mówiłaś — drażniła się z przyjaciółką.

— Cholera, Ola nie wkurzaj mnie, bo jeszcze poronię. Mów jak na spowiedzi.

— Też byłam zaskoczona, jak zobaczyłam tu Mariolkę, i też o mało nie padłam trupem — zaśmiała się na wspomnienie swojego zdziwienia.

— I co, i co? — ponaglała.

— Co ci będę mówiła... — przywołała ręką młodą parę. — To Dorota — podała słuchawkę Marioli.

Olka nie słyszała, co Dorota mówiła Marioli, ale panna młoda ocierała łzy i śmiała się na zmianę. Potem z Dorotą rozmawiał Wojtek, dla odmiany nie płakał, ale długo coś tłumaczył. W końcu podziękował Oli za tę rozmowę i oddał jej telefon.

— Przynajmniej nie będę musiał już nikomu niczego tłumaczyć — uśmiechnął się do Olki. — Można by jeszcze wysłać parę zdjęć — dodał.

— No właśnie wysłałam... I stąd ten telefon. Nie gniewasz się?

— Coś ty! Niezły numer jej wykręciłaś — pokiwał głową.

— Ty mnie też — przypomniała.

Impreza należała do tych bardziej udanych w życiu Olki. Nie dość, że w cudownej scenerii, z pysznym tortem, to jeszcze w atmosferze szczęścia i radości. Wszyscy bawili się niemal do rana, tylko młodzi w pewnym momencie zniknęli...

*

Następnego dnia Mariola wyszła już z domu wuja Leona, gdzie na piętrze Wojtek przygotował dla nich mieszkanko. Inne życie, inny czas, inna Mariola. Olka zastanawiała się, jak wyglądałoby jej życie, gdyby była z Marcinem. Czy też miałaby ten spokój w oczach, czy cień uśmiechu obijałby się od jednego kącika ust do drugiego, czy wodziłaby tęsknym wzrokiem za swym mężem? Ależ zazdrościła Marioli.

Cholera, przepieprzyłam swoją szansę — westchnęła nad kubkiem kawy.

W niedzielę dla Oli i Maxa przyszła pora odjazdu. Długo zbierali się do drogi. Pożegnaniom i uściskom nie było końca. Oczywiście o pieniądzach za wynajęcie pokoi gospodarze nie chcieli nawet słyszeć.

— I znów skapnęły mi darmowe wakacje — zaśmiała się, siadając do auta. Uprzednio zapakowała do bagażnika owoce codziennych spacerów do lasu. Jeszcze nigdy nie miała takich grzybowych zapasów. A już absolutnym hitem były rydze, które dostała od sióstr grzybiarek.

Droga do domu przebiegła gładko. Większą jej część Olka po prostu przespała. Nic nowego. Kiedy nie spała, słuchała Maxa, który jak nakręcony gadał o Bogdanie, o psie i o podarunku, po który musi pojechać za jakieś trzy tygodnie.

W domu przywitała ją skrzynka pełna maili. Oli nawet nie przyszło do głowy zaglądać do niej podczas wakacji. Lenka przysłała jej obrazki znalezione gdzieś w książkach, które chętnie widziałaby przeniesione na jedwab. Ola uznała, że są rzeczywiście ładne i napisała Lence, że postara się je namalować. W mailu od Michała znalazła zdjęcia nowego wyzwania, podwórka w Kaliszu.

No masz! Ledwie przyjechałam i już wpadłam w sam środek roboty — użalała się nad sobą, ale już od dawna nie martwiła się o kasę. Coś za coś.

Zabrała się ostro do pracy, tym bardziej że Lenka prosiła o pośpiech. Od samego rana naciągała jedwabie, przygotowywała szkice na papierze, które później — podkładane pod jedwab — znacznie ułatwiały pracę, zwłaszcza że miała ona być typowo odtwórcza.

Cóż, nie zawsze można być artystą — żartowała wtedy. Czasami dla chleba trzeba być dobrym rzemieślnikiem. To też sztuka.

Zaraz po zajęciach szkolnych przycwałowała Dorota.

— Ola, ty paskudo! Jak mogłaś mi nie powiedzieć, że Mariolka zgoliła w Bieszczady! — wołała już od drzwi. — Taki news, a ty mi nic nie mówisz?! Nie zżarła cię ta tajemnica?!

— No... o mało nie puściłam pary z ust. Ale chciałam cię zaskoczyć, tak jak mnie zaskoczył widok Mariolki wchodzącej do kuchni domu w Bieszczadach. Mówię ci, o mało nie padłam.

— Wiesz, co dziś zrobiłam? — podparła się pod boki na środku kuchni i szelmowsko uśmiechnęła. — Wojtek mi pozwolił.

— No co? — spytała raczej dla podtrzymania dialogu, bo przypuszczała, że Dorota zaraz się tym pochwali.

— Zgrałam zdjęcia na laptopa i podczas dużej przerwy rzuciłam je na ścianę w pokoju nauczycielskim — podskakiwała, klaszcząc w dłonie. Taki miała sposób wyrażania emocji.

— I?

— Ty wiesz, co się działo? Nawet dyro był zaskoczony. Choć musiał wiedzieć, dokąd się przenosi Mariola — głośno się zastanawiała. — Zaczęli mnie wypytywać, chcieli dzwonić do ciebie...

— Po co?

— Ela wpadła na pomysł, żeby cię namówić na ploty gdzieś w knajpie — spojrzała na nią kątem oka — ale powiedziałam, że na pewno się nie zgodzisz, bo nie lubisz plotek, a te zdjęcia przesłałaś za zgodą Wojtka.

— Plotkować mogę tylko z tobą. A reszta nie musi wszystkiego wiedzieć. Tyle im wystarczy.

Postawiła przed Dorotą kubek z rumiankiem (wedle życzenia), sobie nalała szklaneczkę metaxy. Przez ostatni tydzień tyle się wydarzyło, że dopiero teraz może nieco odreagować.

— Szkoda, że nie mogę się napić — westchnęła Dorota. — Duszę się z tymi wszystkimi myślami.

— Powiedziałaś już Krzysztofowi? — Olka spytała dość napastliwie.

Dorota skubała kwiatek na kubku, jakby chciała odłamać pączek różyczki.

— Co, do cholery! Nie domyłam kubka? — wkurzyła się Ola, bo po minie przyjaciółki widziała, że nadal się z tym nie uporała. — Dorota, na co ty jeszcze czekasz? Aż z brzuchem nie zmieścisz się do auta?

— Nie wiem. Boję się, że pomyśli, no wiesz... że chcę go złapać na dziecko.

Olka spojrzała na nią jak na Marsjankę. Chciałaby jej pomóc, ale nie wszystko mogła załatwić za nią.

— Odzywa się?

— Dzwoni kilka razy dziennie — uśmiechała się. — Pytał, czy przyjadę na weekend. Przysłałby po mnie Karola.

— I co? Pojedziesz?

— Teraz nie mogę, mama ma imieniny. Muszę jej pomóc, bo zwalą się goście. Ale w następny weekend pojadę. I powiem mu — obiecała, ale chyba nie była do tego przekonana.

— Super, zabierzesz obrazy. A spróbuj mu nie powiedzieć... to sama mu powiem — pogroziła. Nie chciała dłużej jej dręczyć, więc zgrabnie zmieniła temat: — Max dostał od wuja Leona pięknego psa. Mam nadzieję, że wyrośnie na podobieństwo matki. Tylko musi po niego jechać za jakieś trzy tygodnie.

— Rzeczywiście, coś wspominałaś. Jaki to pies?

— Czarny nowofundland. Nawet nie wiem, czy są w innym kolorze — zastanowiła się przez chwilkę. — I nazbieraliśmy masę grzybów. Fajnie było. Niektóre suszyliśmy na miejscu, z innych robiliśmy przetwory. Mam teraz zapas na całą zimę, tę i może nawet jeszcze następną.

— A masz takie w kwaśnej zalewie? — Ola potwierdziła. — Dasz spróbować?

Dorota siedziała teraz nad miseczką z pływającymi w niej śliskimi grzybkami, które usilnie próbowała nabijać na widelec.

— Śliskie zarazy! Ale dobre... — nabijała na widelec jednego po drugim, pomagając sobie palcami. — Jaka jest Mariola poza szkołą?

— Czy ja wiem... taka jak w szkole — Olka stanęła z pędzlem nad ramą z jedwabiem. — Chociaż nie. Pasuje do tego miejsca, jakby była jego integralną częścią. Wiesz co? Dopiero teraz to tak widzę. To miejsce na nią czekało. Zupełnie jak Wojtek — westchnęła, siadła i podparła policzek dłonią z pędzlem.

— Ola, myślisz, że na każdego ktoś czeka?

— Mam nadzieję. Tylko boję się, że ja akurat się z nim minęłam. — Dolała sobie metaxy do szklaneczki. — Nie pozwól, żeby ciebie to minęło. Wiesz — ciągnęła po chwili — przyglądałam się im cały czas i zastanawiałam, jak mogli tak długo chodzić tymi samymi ścieżkami i nie wiedzieć, że są dla siebie stworzeni. Bo wierz mi, Dorota... są.

— Myślę, że Wojtek to wiedział od samego początku, już wtedy, jak sobie z nich żartowaliśmy. Tylko był księdzem, nie widział rozwiązania, zaczął popadać we frustrację. I pewnie dlatego tak czepiał się biednej Marioli.

— Może... Mam nadzieję, że teraz jej to wszystko wynagrodzi. A nawet jestem tego pewna. Szaleje za nią.

— Wiesz, co mi powiedział, jak z nim gadałam w czasie wesela? Że najlepsze, co go do dziś spotkało, to twój policzek. A dziś... ślub z Mariolą. Dzięki tobie.

— Miło.

— Powiedziałam mu o ciąży — powiedziała, jakby to był ciąg dalszy poprzedniej wypowiedzi.

— I co? Potępił cię, wyklął, zagroził ekskomuniką? — uśmiechała się kącikiem ust.

— Nie, no co ty! Tylko powiedział, że mam się kierować sercem, nie głową. I nie mam być samolubna, tylko myśleć o dziecku... już przecież nie jestem sama. A dziecko z pewnością będzie chciało mieć ojca. Pogratulował mi i powiedział, że też będą się starali.

— No, już nawet chyba zaczęli podczas wesela — zaśmiała się Olka.

— Coś ty! Ciekawe, czy sprawdzali się wcześniej? — zaśmiała się sprośnie.

— Nie.

— Nie?! Skąd wiesz?

— Bo wiem. Mariola się trochę denerwowała.

— Ekstra, nie? Tak romantycznie. Cholera, to jest naprawdę coś! — Dorota przymknęła oczy i zaczęła wyobrażać sobie siebie w roli cnotliwej istotki. Zaśmiała się ze swoich myśli, bo spóźniła się z nimi o kilkanaście lat. — To pewnie nie stał cały czas w oknie?

— W oknie, czemu? — nie rozumiała.

— Nie słyszałaś tego? Facet całą noc poślubną stał w oknie, a rano żona zapytała dlaczego.

— No i dlaczego?

— Bo koledzy powiedzieli mu, że to będzie cudowna noc… A całą noc padało! — Roześmiała się z własnego dowcipu. — A jak sprawował się Max? Nie świrował z mapami po drodze?

— Nie wiem, spałam. Prawie całą drogę. A jak nie spałam, to nawijał o Bogdanie.

— Jakim Bogdanie? — zaciekawiła się i poprawiła na krześle. Lubiła nowinki. W szkole niewiele się przecież działo… zwykłe rzeczy.

W końcu nie codziennie dochodzi do bójek pomiędzy nauczycielami.

— Brat Marioli, przywiózł mamę. Mówię ci, dramatyczna postać. Ale jak się zorientowała, że już nic nie wskóra, skapitulowała. I wiesz… żyli długo i szczęśliwie.

— Ale co z tym Bogdanem? Kto to?

— Czy ja wiem? Wesoły facet, chyba bardzo kocha Mariolę. Jej starszy brat. Niewysoki blondyn z dziurką w brodzie. Chyba zakumplował się z Maxem. A jeśli nawet nie, to Max z nim na pewno — Olka zaśmiała się pod nosem. — Może teraz z nim będzie pisał książki.

— Matko kochana, tyle się wydarzyło, a ja siedziałam w szkole — Dorota wierciła się na krześle i łowiła z ciągnącej się zalewy ostatnie grzybki.

— Ale za to mogłaś w tej szkole wyciąć reszcie niezły numer.

— No, to było świetne. Zbierają teraz forsę na prezent. Chcą im wysłać, z życzeniami na nową drogę życia. Miłe, nie?

— No, myślę, że to fajny pomysł.

Plotkowały tak do wieczora. Ola popijała swój ulubiony trunek. Dorota też, tak długo, aż maślanka się nie skończyła, bo rumianku więcej nie chciała. Ustaliły, że obrazy pojadą z Dorotą do Niesulic i wtedy powie o wszystkim Krzysztofowi.

(Nowa wiadomość).

Nie myślałam, że patrzenie na cudze szczęście też może być szczęściem. Ostatnio tylko takie mnie spotyka. Ale lepsze takie niż żadne. Ostatni tydzień spędziłam w Bieszczadach i zupełnie niespodziewanie byłam świadkiem na ślubie księdza, którego pobiłam za dręczenie koleżanki, z tą właśnie koleżanką. Odjechane, nie? I nawet nie masz pojęcia, Marcin, jaką przyjemność sprawiło mi bycie z nimi. Tak po prostu. Teraz mam masę pracy... Ale to dobrze. Przynajmniej nie myślę o tym, co mogło być też moim udziałem. O! I mam kilkuletni zapas grzybów. Kurek też. Zrobiłabym Ci w śmietanowym sosie, z pulpecikami... Tak jak lubisz.

(Wiadomość zapisano w kopiach roboczych).

*

Kolejne dni oderwały ją od jedwabnych obrazów, bo renowacja podwórka w Kaliszu była pilna. Trzeba było zdążyć jeszcze przed zimą, ponieważ według projektu miało być tam dużo nasadzeń, a teraz najlepsza na to pora. Na szczęście zostały projekty po marudnym inwestorze z Poznania, wystarczyło je nieco przerobić i gotowe.

Teraz tylko dwa dni na wyjeździe. Lubiła Kalisz, znała jego Starówkę... Jako belfer dojeżdżała tam na metodyczne dokształty. Zawsze zahaczała o teatr, szczególnie jeśli kursy odbywały się w maju podczas corocznych spotkań teatralnych. Jeśli nie załapała się na wejście, pozostawała mała romantyczna Starówka. I na tejże Starówce miało powstać jedno z ich podwórek.

Dwa dni z Robertem, Michałem i chłopakami. Naprawdę się cieszyła.

Żeby uniknąć spania w Kaliszu, wyjeżdżali wcześnie rano, to jednak dobrze ponad sto kilometrów drogi. Jeździła z Robertem jego wypasioną furą, Michał z chłopakami i materiałami dojeżdżali firmowym busem.

— Dawno nie rozmawialiśmy. — Robert nie wiedział, jak się zachowywać. — Tęskniłem już za tym.

Odkąd zostali „tylko przyjaciółmi", w ogóle jeszcze nie rozmawiali. Sytuacja była mało komfortowa, ale Olka przełamała lody.

— Opowiadaj co u Zuzi.

— Szkoła się jej podoba. Jak mam czas, zaprowadzam ją tam i odbieram. Choć ostatnio była ze mną Alicja — powiedział to jakby z poczuciem winy.

— To świetnie! Jak ona się czuje? Pozbierała się choć odrobinę?

— Nie jest już najgorzej. Psychicznie chyba też. Mama bardzo się o nią troszczy, Zuzia też, ja troszczę się o Zuzię… i jakoś idzie.

Mówił to bez większych emocji, ale Ola czuła, że pod maską udawanej obojętności czai się tęsknota za życiem rodzinnym. Takim, jakie obiecywał sobie, kiedy rozkręcał pierwszą firmę, kiedy Ala wyjechała, zabierając jego nienarodzone jeszcze dziecko.

— Zabierasz córkę do siebie?

— Kiedy tylko się da. Przygotowałem dla niej specjalny pokój. Nieźle się nakombinowałem... Wiesz, nie mam wprawy w byciu ojcem.

— Radzisz sobie doskonale — pochwaliła go.

— Lubi u mnie być, lubi chodzić po ogrodzie i zawsze coś ją tam zainteresuje. A to grzebie w ziemi i wsadza jakieś cebulki, a to znajdzie gdzieś jakiś chwast i muszę wtedy jej o nim opowiadać... — mówił z wyraźną radością.

— Może drzemie w niej ogrodnik? — zaśmiała się. Widziała, że Robert jest dumny z córki.

— Ale też pięknie rysuje. Może mogłabyś dać jej parę lekcji? Albo choć przyjrzyj się rysunkom. Mnie się podobają — powiedział z przekonaniem i zaraz dodał: — Tylko wiesz... Mnie się podoba, nawet jak Zuzia rozleje farbę na kartce...

To zupełnie jak mojemu tacie — Oli przypomniał się ojciec, który zawsze zachwycał się tym, co robiła. Chwalił ją przed innymi i zachęcał do zajęć artystycznych. Sam miał coś z artysty. Był rewelacyjnym krawcem. Jego dzieła Ola nosi jeszcze dziś. Lubił wyzwania, ale tylko Ola mogła kaprysić przy szyciu, nikt inny. Nosiła ubrania, które przyciągały wzrok innych kobiet i wyróżniały ją z tłumu. Może też dlatego, że nie bała się wkładać na siebie czegoś, co nie do końca było modne, ale zawsze określało charakter. To niekierowanie się modą zostało jej do dziś. Zawsze robiła coś na przekór. Tak już ma.

— Zadzwoń kiedyś po południu, jak będę akurat malowała, to mi ją przywieziesz i zostawisz na trochę. — Spojrzała na niego, miał minę, jakby czegoś nie rozumiał. — No przecież nie powiem jej: „Pokaż, mała, jak malujesz". Jak sama będę malowała, to nie wyjdzie na to, że ją sprawdzam. Dam jej materiały i zachęcę do tego samego. Będziemy sobie gadały przy tym malowaniu i może dam jej kilka rad... Wiesz, jak artystka artystce — zaśmiała się.

— Dzięki. Wiedziałem, że się zgodzisz.

Praca nad podwórkiem przebiegała gładko. Projekty malunków pasowały „jak w mordę strzelił", więc nie musiała już na miejscu niczego poprawiać. Chłopaki z nasadzeniami też nie mieli kłopotów, szło jak z płatka. Michał wynalazł na szperach prześliczną fontannę. Jak ktoś mógł chcieć się jej pozbyć? Olbrzymia czara, z której próbuje się wydostać anioł ze złamanym skrzydłem. Z czary przelewa się woda na podstawkę i tworzy obieg zamknięty. Chciał zamontować ją u siebie, ale inwestorowi zależało na czymś wyjątkowym. Michał mu ją odstąpił i nieźle mu się to opłaciło. Jednak okazało się, że z zamontowaniem było nieco kłopotu. No i Olka postanowiła domalować anioły na ścianie... bo niby skąd ten jeden miałby się tam wziąć? To przedłużyło nieco ich zlecenie, ale było warto. Efekt był fantastyczny. A po kilku dniach Robert odebrał jeszcze kilka zleceń na podobne podwórka.

(Nowa wiadomość).

Wczoraj skończyliśmy kolejne podwórko. W Kaliszu. Zupełnie inne niż pozostałe. Pełne pięknej zieleni i anielskie. To wszystko przez fontannę, którą wygrzebał Michał. Z dużego kielicha próbuje wydostać się smutny anioł. Ma złamane skrzydło. Na ścianach namalowałam jeszcze kilka aniołów, które jakby na niego czekają. Coś mi to przypominało. Jestem jak ten anioł w fontannie, tylko nie skrzydło mam złamane, lecz serce. Marcin, poczekaj na mnie.

(Wiadomość zapisano w kopiach roboczych).

*

Umówiły się z Dorotą na rynku, zaraz po tym, jak odbierze z warsztatu partię oprawionych obrazów. Dorota miała nietęgą minę.

— Dorotka, coś się stało? — spytała zupełnie serio zatroskana Olka.

Skierowały się do ulubionej cukierni Doroty. Zamówiły kawę bez bitej śmietany i desery owocowe. Z lodami, o bitej śmietanie Dorota nawet nie chciała słyszeć.

— Byłam dziś u lekarza.

— Matko kochana! Coś niedobrego? — zaniepokoiła się Ola.

— Nie, ale powiedział mi, że w mojej sytuacji, czytaj: w moim wieku, mogłabym odpuścić sobie pracę i zaproponował, że do rozwiązania będzie dawał mi zwolnienia.

— Ale nic ci nie jest?

— Prócz tego, że jak na pierwsze dziecko jestem stara baba, to nie — uśmiechnęła się smutno. — Nie wiem, co mam zrobić. Jak to powiem dyrowi? — martwiła się. — Wiesz, przecież uczę matmy.

— Dorotka, idź do niego i powiedz, jak jest. Będzie ci wdzięczny, że nie kombinujesz. Po co ma robić doraźne zastępstwa ze szkodą dla dzieci, lepiej zatrudni kogoś na cały rok.

— Nie będzie na mnie zły? — trochę się jednak bała.

— Oszalałaś? Lubi, jak stawia się sprawy jasno. Jutro idź do niego i więcej o tym nie myśl — pogłaskała ją po ręce. — Kiedy jedziesz do Krzysztofa?

Ponaglała przyjaciółkę już dość poważnie. Rozumiała jej obawy, ale była pewna, że musi to zrobić i że może z tego wyjść coś naprawdę dobrego.

— Ten weekend mam wolny... Ale zaraz. Będę miała wolne przez kilka miesięcy. Zapomniałam. Co ja będę, do cholery, robić? Ola, nie masz jakiegoś ogródka do remontu?

— Moja droga. Napawaj się tym stanem i rozwiąż swoje zamotane sprawy. Już najwyższy czas — siorbała kawę, przyglądając się przyjaciółce, zgrabnie manewrującej długą łyżeczką w pucharku z owocami. — Może popracuj znów z Maxem. Coś klapnął ostatnio.

Zrobiły potem rundkę po ulubionych sklepach dla młodych kobiet w dojrzałym wieku, a Dorota zaciągnęła ją do sklepu dla ciężarnych. Chciała tylko zobaczyć, z czym przyjdzie się jej zmierzyć w najbliższych miesiącach. To, co zobaczyła, zbytnio jej nie przeraziło. W ostatnich latach moda bardzo się zmieniła. Nie ukrywa się już przyszłego macierzyństwa pod olbrzymim parasolem sukienki ciążowej. Nie ma już nawet takiego określenia. Nosi się wszystko i im bardziej ciuch podkreśla stan kobiety, tym lepiej. Żadnego ukrywania. Co za ulga.

*

Gangster Karol przyjechał po obrazy razem z Tomkiem. Biorąc pod uwagę to, że Dorota miała jechać tam na tydzień, nie dziwota, że przyjechali we dwóch. Najpierw mieli odebrać zamówione obrazy od Olki, potem dopiero pojechać po Dorcię. Olka zaproponowała im kawę, ale Karol miał jeszcze coś innego do załatwienia, zostawił Tomka i na chwilę zniknął.

— Ja chętnie się napiję — nieśmiało poprosił Tomek. — Pani Olu, jak tam pani kuracja ziołowa? Pomaga?

— Na wątrobę i owszem… na psychikę niekoniecznie. Ale nic mnie nie boli. To już dobry znak.

Zaparzyła kawę, stanęła z tacą, rozejrzała się po wiecznie przykrytym jedwabiami wielkim stole w kuchni i spytała:

— Może napijemy się na tarasie? Jeszcze nie jest tak zimno.

— Jasne. Ma pani superogród. Z przyjemnością na niego popatrzę. — Stanął u szczytu krętych schodów. — Ładnie to pani wymyśliła. Szkoda, że już niedługo nie będzie pani tego oglądać. Pewnie aż do wiosny… A czy tam na końcu czasami czegoś nie brakuje? — zapytał delikatnie, nie chcąc jej urazić.

— Brakuje. Mniej więcej czterech worków kory. Wciąż zapominam dokupić — zaśmiała się. — Tomek, mogę cię o coś zapytać? Jeśli nie możesz, nie odpowiadaj.

Spojrzał na nią z zainteresowaniem, siadł na drewnianej ławce i dolał mleka do kawy.

— Czy możesz mi powiedzieć… — nie wiedziała, jak się do tego zabrać. — Czy wiesz, jakie plany wobec Doroty ma Krzysztof? Czy w ogóle jakieś ma? — Olka aż przygryzła dolną wargę z zażenowania.

— O tym samym chciałem pogadać. Dlatego odesłałem Karola.

— Tak?

— Dwa tygodnie temu byłem z szefem w Warszawie. Miał tam jakieś interesy z Marlenką. Ale wybrali się też do jubilera po pierścionek z brylantem. Myślałem, że dla Marleny, ale usłyszałem, że chodzi o zaręczynowy. No to chyba sama by go sobie nie kupowała — zrobił przerwę i zmrużył filuternie oczy. — Kiedy wracaliśmy, to słyszałem, jak Marlena zażartowała, że brylant musiał być większy, bo Dorota przecież też nie jest taka mała. Oj, jak szef na nią wtedy spojrzał... Z takim wyrzutem. Potem Lenka zapewniała ojca, że bardzo, ale to bardzo lubi Dorotę.

— O w mordę!

— No.

— I co? Zamierza się jej teraz oświadczyć? — dopytywała.

— No chyba. Nie wiem. Po pierścionek jedziemy za niecałe dwa tygodnie. Podobno nie mieli takiego brylantu.

— O w mordę!

— No.

Co zrobić? — myślała rozpaczliwie. Powiedzieć jej o tym? Może powinnam. Ale jeśli Krzysztof nie zrobi tego teraz, będzie zawiedziona. Jeszcze pomyśli, że ten pierścionek jednak dla innej. Że może Tomek się przesłyszał? Matko kochana, co mam robić? Może po prostu czekać na bieg wydarzeń?

— Jak pani myśli, zgodzi się? — spytał po chwili. — Bo szefowi chyba bardzo na niej zleży. Jest zupełnie inny. Nawet Lenka to zauważyła. Kiedyś często sprzeczała się z ojcem, teraz on jakoś częściej jej ustępuje.

— Myślę, że tak. — I po chwili dodała: — Jej też zależy. Kocha go. To widać.

(Nowa wiadomość).

Właśnie się dowiedziałam, że hotelarz zamierza się oświadczyć Dorocie. Chyba... Bo zamówił pierścionek z olbrzymim brylantem. Nawet takiego nie mieli i musieli go sprowadzać. Ciekawe, jak to zrobi. Byle nie wkładał go do ciastka, bo Dorcia przy swoim apetycie

gotowa go nie zauważyć. Świnia jestem, ale trochę jej zazdroszczę. Ja nigdy nie dostałam pierścionka zaręczynowego... Tak jakoś wyszło. Myślałam, że Ty mi go dasz. Miałam nadzieję, że będzie z niebieskim oczkiem i z maleńkimi brylancikami dookoła. Że uklękniesz i poprosisz mnie o rękę. A Tyś się nawet nie rozwiódł. Takie moje zakichane życie.
(Wiadomość zapisano w kopiach roboczych).

*

Dorota pojechała. A raczej została odwieziona, razem ze swoim ogromnym bagażem. Wiedziała, że tym razem będzie musiała powiedzieć o dziecku. Już nie może tego dłużej odwlekać.

Wspomnienie letniego pobytu w tym miejscu trochę jakby nie zgadzało się z obecnym stanem. Zieleń zmieniła nasycenie. Teraz jest trochę smutniejsza, bardziej żółta, zmęczona. W końcu to już jesień. Jednak miejsce nie straciło na urodzie. Pod ścianami pałacu wrzosowe plamy mieszały się z zielenią płożącego się bluszczu. Gazony wypełnione latem wesołymi kolorowymi kwiatami zmieniały nastrój otoczenia fioletowymi odcieniami różnych odmian wrzosów. Wypuszczały spomiędzy wzniesionych kwiatostanów długie, zwisające pędy roślin okrywowych, które jak strużki spływającej wody sięgały aż do ziemi. Przydawały temu miejscu jeszcze więcej elegancji i romantyzmu.

— Jesteś wreszcie — Marlena wyszła z domu, witając Dorotę rozłożonymi ramionami. — Taty nie ma, ale kazał mi się tobą zająć. Chodź, czekaliśmy na was z obiadem. Chłopaki, chodźcie!

Dorota cieszyła się z takiego serdecznego przyjęcia, bo trochę obawiała się reakcji Lenki, gdy ta dowie się, że będzie miała rodzeństwo. Przecież... w końcu się dowie. Przyglądała się też Karolowi, bo już ostatnio zauważyła, że coś go łączy z Marlenką. Jej spojrzenie zdradzało uczucia, które usilnie próbowała ukryć. Na darmo. Karol też wodził za nią powłóczystym spojrzeniem i nie ulegało wątpliwości, że coś wisi w powietrzu.

Boże, jak ja lubię to miejsce. Spraw, proszę, żebym nie była tu ostatni raz — modliła się w duchu, idąc za Lenką do kuchni. Bo dziś właśnie tam pani Stasia przygotowała obiad dla domowników.

— O, jesteś, kochana, jak dobrze — pani Stasia uściskała przybyłą. — Siadajcie, bo obiad stygnie.

Dorota dziobała obiad, przegarniała widelcem pyszny gulasz z dziczyzny, sprytnie omijając kawałki mięsa. Pani Stasia spoglądała na nią spod szkieł okularów i wyraźnie coś jej nie pasowało. Przecież Dorota bardzo lubiła dziczyznę. Specjalnie dla niej pani Stasia przygotowała to danie. Była matką kilkorga dzieci i doskonale wiedziała, co jest grane.

— Dziecko — zwróciła się półgłosem do Doroty — zaparzyć ci rumianku?

— Poproszę. — Dorota zbladła i zaczęła błądzić oczami po podłodze. Wiedziała, że gospodyni domyśliła się powodu jej niechęci do mięsa.

Dni w pałacu płynęły leniwie. Kiedy Krzysztof był na miejscu, nie odstępował Doroty nawet na chwilę. Spacerowali po parku, pływali jachtem, toczyli długie rozmowy. Przy każdej z nich Dorota próbowała powiedzieć, co leży jej na sercu. A właściwie gnieździ się... zupełnie gdzie indziej. Ale nie potrafiła.

Krzysztof roztaczał przed nią wizje dalekich podróży. Dawno chciał zacząć, ale samemu to żadna frajda. Teraz miał wreszcie z kim dzielić się marzeniami.

Cholera, nie mogę mu tego zepsuć — Dorota rozpaczliwie szukała drogi wyjścia. — Mam czas, jeszcze zdążę mu powiedzieć.

Ale czas uciekał, chwile umykały jedna po drugiej, dni mijały. Już dwa razy odkładała dzień wyjazdu, zawsze ulegając namowom Krzysztofa. Jednak musiała wracać, bo miała zamówioną wizytę kontrolną u lekarza.

— Dorotka, nie bierz wszystkich rzeczy. Po co masz jeździć z tym kufrem — przy aucie próbował ją przekonać do zostawienia w posiadłości cząstki siebie. — Przecież mówiłaś, że możesz za tydzień przyjechać.

— Muszę je zabrać… bo nie wiem, czy jeszcze tu wrócę — spojrzała na niego błyszczącymi od napływających łez oczami.

— Co ty mówisz?! — wystraszył się i złapał ją gwałtownie za dłonie. — Nawet nie próbuj mnie tak straszyć, skarbie.

Teraz już płakała, a on cały czas trzymał ją za ręce.

— Co się stało, kochanie? — ocierał jej łzy rękawem nienagannie uprasowanej koszuli. — Ja tylko tak żartowałem. Przepraszam, nie chciałem tak mocno cię chwycić.

— Krzyś, ty nic nie rozumiesz… jestem w ciąży — wreszcie to z siebie wyrzuciła. Szybko otworzyła drzwi samochodu i próbowała wsiąść. A on stał jak słup soli. Wreszcie oprzytomniał, odciągnął ją od auta, zatrzasnął drzwi i objął jej twarz dłońmi.

Wpatrywał się w jej zapłakane oczy i nagle spokojnie powiedział:

— To na safari pojedziemy trochę później. Jeszcze zdążymy — objął ją i mocno przytulił. — Tak się cieszę, tak się cieszę... nawet nie masz pojęcia.

Nie chciał jej wypuścić z objęć. Stał przy aucie i tulił ją jak dziecko... duże dziecko. Z okna jadalni całej scenie przyglądała się pani Stasia i ocierała oczy kuchennym fartuszkiem.

Wreszcie mu powiedziała — odetchnęła z ulgą. — Ależ musiało być jej ciężko. Oj, zmieni się życie w Niesulicach, zmieni.

— Nie jedź — szeptał jej do ucha.

— Muszę. Jutro mam wizytę u lekarza — tłumaczyła, chlipiąc.

— Pojadę z tobą.

— Nie. Muszę sama. Jeszcze nie powiedziałam w domu. Muszę to załatwić — mówiła stanowczo.

— Kiedy po ciebie przyjechać? — dopytywał.

— Nie wiem. Zadzwonię — wymigiwała się od konkretnej odpowiedzi.

— Jeśli nie wrócisz szybko, przyjadę po ciebie.

Spojrzała na niego. Jego oczy nie zdradzały przerażenia. Jakby się tego spodziewał. Patrzył na nią spokojnie i uśmiechał się czule. Zrobiła ruch w stronę drzwi terenówki, otworzył je przed nią, pomógł wsiąść i powiedział do Karola:

— Jedź ostrożnie i pilnuj jej.

Karol nie bardzo wiedział, co powiedzieć, był przecież niemym świadkiem tej sceny. Cały czas siedział za kierownicą i czekał, kiedy Dorota wsiądzie do samochodu. Teraz tylko skinął szefowi głową.

— Zadzwonię — obiecała.

*

Max siedział nad książką o pielęgnowaniu i wychowaniu psów. Przeglądał strona po stronie, robił notatki, zaznaczał fragmenty. Zamiast zakładki w książce tkwiła lista zakupów, jakich musi dokonać, zanim pojedzie po swoją czarną kulkę.

— Matko, Olka! Ty wiesz, ile rzeczy trzeba kupić dla psa? — był podniecony tymi zakupami, jakby je robił dla oczekiwanego dziecka.

— Wiem. Miskę do żarcia i kocyk do spania. Może jeszcze smycz — odparła rzeczowo.

— No coś ty. Miałaś Figę od szczeniaka. Nic więcej dla niej nie potrzebowałaś?

— Max, ona była jak mały szczurek. Prócz większej kieszeni, niczego więcej nie musiałam mieć — śmiała się. — A kocyk? Jaki kocyk! Spała ze mną w łóżku. Zasypiała w nogach, a budziła się z głową na poduszce i przednimi łapkami na kołdrze, tuż obok mnie. Nos w nos. I jeszcze była zdziwiona, jak chciałam ją wypchnąć.

— No wiesz... To nie prowadzi do niczego dobrego.

— A wiem, wiem, mój drogi. Bo jakby była rasy nowofundland, to raczej ona wypychałaby mnie z łóżka — parsknęła śmiechem. — Więc ty bądź bardziej konsekwentny — zamieszała palcem w szklaneczce — bo inaczej będziesz spał na kocyku.

— Nie pozwolę psu wchodzić do łóżka. Nigdy! — zarzekał się.

— Jasne. A wiesz, że właściciele psów dzielą się na dwie kategorie? Na tych, którzy śpią ze swoimi psami, i na tych, co się do tego nie przyznają — łypnęła na niego znad szklaneczki.

— No już dobra. Masz rację, moralizuję. Ale nie chciałbym popełnić jakichś poważnych błędów przy wychowaniu psa.

— Więc czytaj, mój drogi, czytaj.

Olka chyba znów wpadła w sidła metaxy. Czuła, że coś ją gryzie od środka i nie daje zebrać myśli.

Wszyscy wokół mają jakiś cel w życiu, a ja swój gdzieś zgubiłam. Nawet nie wiem, czy go w ogóle miałam — pijane myśli tłukły się po głowie. — Może to brak trosk? Może to dlatego, że dotoczyłam tę syzyfową kulę na szczyt i nie spadła mi na łeb? Może jestem jak ten kret i muszę po wyjściu z kretowiska dostać łopatą po głowie? Dotąd zawsze na to narzekałam.

— Co u Doroty? — Max oderwał się wreszcie od kolorowych obrazków.

— Nie wiem. Dziś szła do lekarza, miała dzwonić — Olka wydęła wargi. — Milczy.

— Ciekawe, czy powiedziała matce — zastanawiał się na głos.

— Ciekawe, czy powiedziała Krzysiowi — powątpiewała Olka.

— Nie powiedziała? — aż podskoczył na krześle. — Co ona sobie myśli?

— No właśnie nie wiem. Martwię się o nią. Boi się powiedzieć matce, to rozumiem. Ale nie mówi ojcu dziecka, a tylko on może jej teraz pomóc. Chyba zdała sobie sprawę, w co się wpakowała — westchnęła. — Nie przemyślała tego do końca.

— Coś mi mówi, że tu hormony zagrały i z myśleniem niewiele to miało wspólnego — pokiwał głową z miną znawcy kobiecej natury. — W końcu odezwał się w niej instynkt macierzyński i musiała coś z tym zrobić — ciągnął dalej poważnym tonem.

— Stary! Co ty pijesz? — spojrzała na niego zdziwiona. — To przecież ja mogłam się upić. Chyba że masz coś w tej kawie?

— No co?! Rozumiem ją — bezwiednie głaskał zdjęcie czarnej kulki z paciorkami zamiast oczu.

— To kiedy jedziesz po tę swoją pociechę? — uśmiechnęła się pod nosem.

— W piątek. Bogdan jedzie ze mną — zakomunikował, zanim zdążyła powiedzieć, że chętnie by z nim pojechała.

No ładnie! — pomyślała. — Dostałam kosza.

(Nowa wiadomość).

Dorotka pojechała do Niesulic. Ciekawe, czy znów stchórzy i nie powie o ciąży. Ale czasu ma już niewiele. Wkrótce nie będzie musiała już nic mówić. Martwię się, bo nie dzwoni. Krzysztof jeszcze chyba nie ma tego pierścienia, bo pewnie już by się pochwaliła. Mam nadzieję, że wszystko im się uda.

Max jedzie w Bieszczady po psa, właściwie szczeniaka, nowofundlanda. Dostał go od wuja naszego byłego księdza. Nawet myślałam, że zabiorę się z Maxem, ale on jedzie z bratem Mariolki, żony Wojtka. Nie będę się im wcinała. Pewnie mają do pogadania. Nie zaproponował, więc pewnie uważa, że troje to już tłum... Gdzieś to już słyszałam. Nieważne. Zabawny jest z tym „psiurkiem". Jeszcze go nie przywiózł, a ma już w domu więcej psich sprzętów niż moja Figa widziała przez całe życie. Może tak sobie rekompensuje brak własnego potomka. A miał szansę go mieć. Dorota chciała, żeby był ojcem jej dziecka. Dziwne, nie? Trochę zakręcony sposób, ale dla niej liczył się efekt końcowy. Myślę, że mu ulżyło, kiedy się dowiedział, że ktoś go ubiegł. Chyba

nawet słyszałam, jak kamień spadł mu z serca. Ale pociąg odjechał. Teraz będzie miał tylko psa.
(Wiadomość zapisano w kopiach roboczych).

*

Dorota nie odzywała się od dwóch dni, nie odbierała telefonów. Olka zaczęła więc kręcić się po domu z zamiarem zrobienia małych porządków. Ale zrób tu porządki, kiedy wszędzie porozkładane ramy czekają na następne jedwabie. Farby niby poskładane do kartonów, jednak stoją na podłodze w kuchni i robią bałagan.

Wdrapała się na piętro do pokoju Tytusa. Tu nie było czego porządkować, zrobiła to zaraz po jego wyjeździe. Ściana z widokiem Nowego Jorku przypomniała jej, że Tyci znów niedługo wyjedzie. To wtedy, kiedy wrócił zakochany w tym mieście, postanowiła wyremontować mu pokój. W tajemnicy. Ileż to było zachodu i kombinacji, żeby wszystkich fachowców zgrać na jeden tydzień, a właściwie na pięć dni. Kupiła fototapetę w szarościach z widokiem na Brooklyn Bridge nocą, szarą wykładzinę, farby w odcieniach szarości, zamówiła montaż szafy z przesuwanymi drzwiami, oczywiście szarą z grafitowymi lustrami, szarą roletę, czarne satynowe pościele i czerwony skórzany fotel.

Jak tylko za Tycim zamknęły się drzwi, wyniosła z pokoju wszystkie meble. Te już do pokoju nie wróciły. Z wyjątkiem kanapy… na czymś w końcu trzeba spać. W pięć dni przez dom przetoczyło się kilku fachowców, ale zdążyła na czas. Tajemnica dusiła ją jak zmora, więc musiała się z kimś nią podzielić. Padło na Martę, dziewczynę Tytusa.

— Marta, dziecko... muszę ci coś powiedzieć, bo pęknę — odezwała się do nieco wystraszonej dziewczyny. — Ale obiecaj, że nie powiesz Tyciemu. To tajemnica... Ale ja już nie mogę wytrzymać. Jak nie powiem tobie, to się zdradzę przed małym.

— Co się stało? — Marta miała wielkie oczy.

— Wejdź ze mną do domu, coś ci pokażę — wciągnęła zdziwioną dziewczynę do domu. — Gdy weszły do pokoju Tyciego, Marta zamarła.

— O rany! Ale numer! Zrobiła mu pani remont. On o tym wie? — spytała zaskoczona. Rozglądała się, zaglądała do szafy, poprawiała satynową pościel, gładziła ścianę z fototapetą. W końcu spoczęła w czerwonym fotelu i uśmiechnęła się do swego odbicia w grafitowym lustrze szafy.

— No właśnie nie — Olka wyraźnie się cieszyła. — Ale musiałam to komuś pokazać. Bobym się zadławiła tą tajemnicą.

— Teraz ja się będę męczyć — zaśmiała się. — Dam radę, to tylko do jutra. Ale muszę to zobaczyć. Przyjadę tuż przed jego powrotem z Poznania, mogę?

— Jasne. Obie będziemy miały ubaw.

Marta jednak też musiała znaleźć wentyl bezpieczeństwa i powiedziała koleżance. Do powrotu Tytusa wiedzieli o niespodziance wszyscy ich przyjaciele. I wszyscy czekali na jego reakcję.

Tytus przyjechał w piątek wieczorem. Ola z Martą już na niego czekały. A ten jak na złość rozsiadł się w kuchni. Obie przestępowały już z nogi na nogę. Wreszcie poszedł do pokoju. Ola specjalnie wcześniej opuściła roletę, żeby musiał zapalić światło. Gdy to zrobi, długa listwa pod sufitem rozbłyśnie i oświetli fototapetę. Czarna pościel z delikatnym szarym wzorem będzie okrywać kanapę, w grafitowych lustrach odbije się Brooklyn Bridge. I jedynym meblem kontrastującym z wnętrzem będzie czerwony fotel.

Kobiety cicho skradały się za Tytusem. Otworzył drzwi, pomacał dłonią ścianę, szukając kontaktu. Zapalił światło.

— O kurde! — krzyknął i stanął jak wryty. Nie ruszał się dłuższą chwilę. Zniknęły jego studenckie sosnowe mebelki. Stał w pokoju, jakiego nie znał. — Dziękuję, mamunia, dziękuję! — rzucił się jej na szyję. Miał mokre oczy, Olka wiedziała, że Tyci się wzruszy. Żeby to ukryć, wskoczył w czarną pościel i nakrył się kołdrą. Udawał, że cieszy się nowościami. Już po chwili Marta relacjonowała jego reakcje przez telefon.

— To co? Wszyscy wiedzieli? — zapytał.

— Ale dopiero od wczoraj — zaśmiała się Marta.

— Oluś, nie zadusiła cię ta tajemnica? — był zdziwiony, bo Olka była znana z tego, że nie umiała robić niespodzianek. On zresztą też, więc wiedział, co musiała przechodzić.

— O mały włos.

Teraz ona siedziała w czerwonym fotelu i patrzyła na swoje odbicie. Za plecami w lustrze szafy rozciągał się Brooklyn Bridge.

No i masz, znowu będę sama — westchnęła.

*

Dzień był pochmurny i od samego rana padało. Krople deszczu spływały po szybach za płóciennymi firankami z wyhaftowanymi różyczkami. Olka leżała w łóżku i zastanawiała się, czy w ogóle warto dziś wstawać. Przyniosła sobie do łóżka kawę w kubku w różyczki i wzięła do ręki książkę. Takie poranki też lubiła. Leżała jeszcze w łóżku, piła kawę i czytała. Nie miała pomysłu na płaczący deszczem dzień. Skończy pewnie nad rozpiętymi jedwabiami. Ale cóż, interes to interes. Gdy wynurzyła się wreszcie z sypialni, odnalazła się Dorota. Przyszła do Olki jakby nigdy nic.

— Byłam u lekarza — zakomunikowała już od progu.

— Tak długo. Co on ci robił? — uśmiechała się z niedowierzaniem, bo przecież minęły już dwa dni od daty wizyty.

— Musiałam pomyśleć.

— Razem z lekarzem? To trochę ci na to zeszło — pokiwała głową. — Powiedziałaś Krzysztofowi? — spytała bez ogródek.

— No właśnie — westchnęła i wkleiła się w ulubiony fotel Olki. Minę miała nieokreśloną, ani zadowoloną, ani smutną. — Sama nie wiem, co myśleć. Cieszył się, jak mu powiedziałam, a może tylko tak chciałam to widzieć...

— Matko kochana, Dorota! O co tu chodzi? — Olka nie rozumiała sedna rozterki przyjaciółki. Wiedziała, że z kobietami w ciąży nie jest lekko, kiedyś w końcu była jedną z nich, ale ta mina zbijała ją z tropu. — Nie dzwoni?

— Dzwoni.

— Więc? — stanęła przed nią z rozłożonymi rękami.

— Miałam nadzieję, że poprosi mnie o rękę — była wyraźnie zawiedziona.

A, o to chodzi — pomyślała — potwierdziły się moje przypuszczenia. Nikt nie chce być sam. A może za bardzo ją przeraziłam wizją samotnego macierzyństwa? I dobrze! Przynajmniej o tym pomyślała.

— Przecież nie chciałaś męża w ten sposób — przypomniała jej własne słowa. Dorota miała zrezygnowaną minę, więc Olka odpuściła sobie dobijanie jej. — A zresztą skąd wiesz, że tego nie zrobi?

Matko kochana, powiedzieć jej o pierścionku? — biła się z tą myślą.

— Myślałam, że zrobi to już wcześniej. Nie zrobił. Wiem, że nie znamy się długo, ale mówił mi takie rzeczy… A ja mu wierzyłam, bo czułam to samo, i wiem, że to nie była żadna ściema — z trudem powstrzymywała łzy. — A potem… jak dowiedział się o ciąży, też nic nie zrobił.

Ola siadła naprzeciwko, na pufie przy kominku. Nie wiedziała, co jej powiedzieć.

A jeśli pierścionek nie był dla niej? Niemożliwe! — odpędzała tę myśl. — A może po prostu jeszcze go nie odebrał?

Wtedy zadzwonił telefon Doroty. Spojrzała na ekran i wyciszyła dzwonek.

— Nie odbierzesz?

— Nie wiem, co mu powiedzieć.

— To Krzysztof? — Olka aż podskoczyła na pufie.

— Chciał przysłać po mnie Karola — wzięła głęboki oddech. — Co to ja jestem? — łzy popłynęły jej po ładnej buzi. — Panienka na telefon? Myśli, że pojadę, jak tylko zadzwoni? Że będę czekała na każdy jego wolny weekend? — Teraz już płakała. Nienaganny zwykle makijaż zaczął się rozmywać.

Ola przytuliła koleżankę. Postanowiła jej powiedzieć o wszystkim, ale najpierw poszła do kuchni wstawić wodę na melisę. Czajnik stał na marmurowym parapecie okna, z którego było widać ulicę. Spojrzała w okno. Pod dom podjechało wielkie czarne auto z przyciemnionymi szybami. Olkę zamurowało. Z samochodu wysiadł gangster Karol, Tomek i na końcu Krzysztof. Jak w filmie sensacyjnym.

Boże, co robić? — spanikowała. Niby od niechcenia zeszła na parter i otworzyła drzwi. Palcem trzymanym na ustach uciszyła przybyłych i wskazała na schody do salonu, z którego dochodziło chlipanie Doroty.

Gdy Krzysztof wszedł do salonu, Dorota oniemiała. Tak wcisnęła się w fotel, że nie mogła się z niego wygramolić.

— Mówiłem, że po ciebie przyjadę. — Pomógł jej wstać, przytulił, po czym wyjął z kieszeni złote pudełko. Przyklęknął i spytał: — Dorotka, moje ty kochanie... wyjdziesz za mnie?

Dorota stała nieruchomo jak kłoda. Spoglądała na Krzysztofa, potem na pierścionek, potem znów na Olkę, która stała jeszcze na schodach, nie chcąc zepsuć tej magicznej chwili.

— Ale... — zaczęła coś bąkać pod nosem — bo ty... dopiero jak zaszłam w ciążę...

Krzysztof nie rozumiał, czemu nie odpowiada na pytanie, o co jej chodzi. W jego oczach pojawił się cień paniki. Wstał. Olka też się wystraszyła.

— Dorota, ty głupia! On miesiąc czekał na ten wielki klamot dla ciebie! — Olce puściły nerwy i wtrąciła się do sceny, która nigdy nie była jej udziałem.

Dorota znów się rozpłakała. Zarzuciła zdziwionemu amantowi ramiona na szyję i ryczała na cały głos. Gangster Karol i Tomek, którzy skonsternowani stali na dole i czekali na szefa, cichutko wyszli na zewnątrz.

— Czy to znaczy, że tak? — spytał zdezorientowany Krzysztof, całując jej rozmazane oczy.

— Tak. Jasne, że tak.

— O matko kochana. O mało nie odjechałam na zawał — Ola chwyciła się za klatkę piersiową i odetchnęła głęboko.

— Ja też — przyznał Krzysztof, wsuwając Dorocie pierścionek na palec. — Czemu nie odbierałaś telefonów? Musiałem cię szukać. Twój tato chyba jeszcze do tej pory cuci mamę.

— Jak to? Dlaczego? — Dorota odskoczyła wystraszona na środek pokoju. — Co się stało?

— Nic. Nie wiem, co im o mnie mówiłaś. I czy w ogóle mówiłaś. Bo nieźle się zdziwili, kiedy facet nieco od nich młodszy przyszedł poprosić o rękę ich córki.

— Ale... — Dorota nie wiedziała, co powiedzieć.

— Trudno, kochanie. Jestem staroświecki, musiałem ich spytać. A poza tym myślałem, że jesteś w domu. Nie odbierałaś telefonów — powtórzył i rozłożył ramiona w geście bezradności. — Ale widać chłopaki znają cię lepiej niż ja, bo wiedzieli, gdzie cię szukać. Teraz już zawsze będę cię miał na oku. — Tulił Dorotę, a Olka szybko przemknęła do kuchni zająć się czajnikiem, bo łzy jak potok płynęły jej z oczu.

(Nowa wiadomość).

Byłam przy oświadczynach. Niestety, nie swoich. Ale miałam w nich swój udział. Nie wytrzymałam nerwowo i trochę nawrzeszczałam na Dorotę. Powoli stanę się z tego znana. Ale mam prawo... w końcu jestem szalona. Wszystko się wyjaśniło i skończyło łzami. Moimi też. Znasz mnie, zawsze ryczę jak bóbr. Mama Doroty o mało nie zemdlała, kiedy wielki bukiet kwiatów

poprosił ich o zgodę na małżeństwo z ich córką. A zza kwiatów wyłonił się facet, tylko trochę od nich młodszy. To musiał być niezły widok, jak w filmie. Teraz Dorcia wyjedzie. Co ja zrobię sama? Tytus też wybiera się za ocean. Chyba będę musiała zostać psią nianią.
(Wiadomość zapisano w kopiach roboczych).

*

Już na progu domu Maxa Olka potknęła się o jakieś piszczące coś. Potem w korytarzu weszła na rozciągnięty szalik, na którego końcu wisiała czarna kulka zaczepiona ząbkami. Dookoła zabawki, kostki, posikane gazety... Istny sajgon.

— O matko kochana! Co się tu dzieje? — stanęła na rozstawionych nogach i oparła ręce o biodra.

— No właśnie nie wiem. Jego spytaj — wskazał na czarną kulkę, szamoczącą się z szalikowym wrogiem. — Ja już straciłem nad tym kontrolę. — Max miał minę pokonanego.

— A co na to twoja mądra książka? — spytała z przekąsem.

— Nie wiem. Wczoraj ją pożarł.

Był wyraźnie zrezygnowany. Ola ledwie powstrzymywała wybuch śmiechu. Przypomniała sobie wieczór, kiedy Max czytał książkę i robił notatki. I mówił same mądrości. Nie rozumiała, dlaczego teraz z nich nie korzysta.

— Jak ci pomóc? Oprócz sprzątania mokrych gazet, rzecz jasna?

— Sam nie wiem — wzruszył ramionami.

Olka podeszła do rozbrykanej kulki, wzięła ją na ręce i wręczyła Maxowi.

— Idź z nim przed dom. Chodź tak długo, aż się wysika. Potem go pogłaszcz, pochwal i dopiero wtedy możesz wrócić — wydała jasne polecenia. — Ja tymczasem ogarnę ci mieszkanie.

Posprzątała wszystkie zabawki, piankowe legowisko przeniosła do kuchni, wyrzuciła z miski jedzenie, nalała świeżej wody i posprzątała te nieszczęsne gazety. Przetarła mopem kuchnię i korytarz. Potem nastawiła wodę na kawę.

Max wrócił po piętnastu minutach. Skrzywiony i lekko zmarznięty, bo wyszedł tylko w koszulce.

— Wytrzyj mu łapki — poleciła.

— Przecież nie ma brudnych.

— Teraz nie. Ale wkrótce na podwórku będzie mokro... Mój drogi, jesień nadchodzi wielkimi krokami. I wtedy już nie da się go nauczyć, że musi wytrzeć łapy.

— Skąd ty to wszystko wiesz?

— Wychowałam już jednego psa i jednego syna... I żadne z nich nie zżarło mi książki — uśmiechnęła się i rzuciła w jego stronę szmatkę. — Wytrzyj!

Zaparzyła dwie kawy i siedli do stołu. Rozbrykanego szczeniaka wzięła na chwilę na kolana, ale specjalnie mu się to nie podobało, bo ledwo się na nich mieścił. Wylądował w końcu na posłaniu.

— Dlaczego w kuchni? — Max wybrał mu miejsce obok kanapy w pokoju.

— Bo teraz tu właśnie siedzimy, a on chce być z tobą. Czuje się bezpieczniej. Aha... i daj mu ten poszarpany szalik do spania. Będzie czuł twój zapach, a ty już raczej nie założysz tego szalika.

Siedzieli w kuchni i przyglądali się śpiącemu szczeniakowi. Zwinął się w kłębuszek, nos wsunął pod szalik i spał, ciężko wzdychając. Był wyraźnie zmęczony.

— Co u Mariolki i Wojtka? — chciała usłyszeć jakieś nowiny. W końcu był tam przez cały weekend.

— Nic. I to jest tam najwspanialsze. Dzień podobny do dnia. Wszystko jakoś tak samo się kręci — wzdychał na wspomnienie sielanki w Bieszczadach. — Mariolka zadowolona z układu z Bogdanem. Teraz on mieszka z mamą i próbuje się nią opiekować, a cały czas jest na odwrót. Ale chyba mu to pasuje.

— Po co jechał z tobą przez taki kawał Polski? Przecież widział się z Mariolą.

— To nie wiesz? — zdziwił się. — Przecież on wziął drugiego szczeniaka.

— Matko kochana! To te potwory będą tu aż dwa? — spytała, ale jakoś jej to nie zdziwiło. Bogdan często odwiedzał Maxa i pewnie teraz będzie go odwiedzał z tym kudłatym szaleństwem.

— Dorota wreszcie szczęśliwa — bardziej oznajmił niż spytał. — Będzie mi jej brakowało.

— A co ja mam powiedzieć? — westchnęła, bo w ciągu ostatnich miesięcy bardzo się do siebie zbliżyły. I choć różnica wieku między nimi była zauważalna, to rozumiały się doskonale. Czasem jak przyjaciółki, czasem jak koleżanki z pracy, czasem jak siostry, a czasem jak matka z córką. — Ale cieszę się, że nie będzie już sama. Ta poza singielki... to nie była ona. Dorota jest raczej z tych kobiet, co to chodzą na zakupy z mężami, trzymając się za ręce...

— Olka, to mit. To całe trzymanie się za ręce — zaśmiał się. — Naprawdę nie wiesz, czemu facet naraża się na śmieszność i daje się prowadzić za rękę?

— Z miłości, z potrzeby poczucia bliskości… — wymieniała.

— Dla bezpieczeństwa! — oświecił ją. — Jeśli mężczyzna puściłby dłoń kobiety, ta zaraz poszłaby w regały. I jeszcze musiałby wydać kasę albo nie daj Boże oglądać przymiarki.

— Jednak to miłe, jak kobieta przymierza kieckę, pyta męża, jak w niej wygląda, a on się zachwyca — rozmarzyła się.

— Oj, Olka. Myślałem, że bardziej znasz męską naturę. Facet nie ocenia ubiorów, a jeśli zaczyna się zachwycać, to wyraźny znak, że za chwilę padnie z głodu i woli wydać kasę, byle tylko iść coś zjeść — poczochrał jej blond fryzurkę. — Zawiedziona? Może ci nalać?

— Nie — oprzytomniała. — Pies nie lubi zapachu alkoholu.

— Zapamiętam — odstawił trzymaną już w ręku jej ulubioną szklaneczkę. — A co u twojego znajomego… Roberta? Nic się nie kroi?

— To już historia. Skleja teraz rodzinę i mam nadzieję, że mu się uda. Chociaż… nie można nikogo zmusić do miłości — zamyśliła się przez chwilę. — Zresztą — machnęła ręką — był dla mnie za młody.

Przyglądała się przyjacielowi, jak krzątał się po kuchni, spokojny, zadowolony metroseksualny facet. Z nienagannie przystrzyżonymi włosami, z zadbanymi dłońmi. Nieraz jego wypielęgnowane paznokcie dopingowały ją do zrobienia porządku ze swoimi. Wiecznie ubabrane farbami nie dawały się tak po prostu umyć wodą i mydłem.

Spojrzała teraz na swoje dłonie. Postanowiła jutro zrobić ich mały remont.

— A Marcin?

— To też historia, niestety — dodała.

— Neron się obudził. To idealne imię dla tyrana. A jak tak dalej pójdzie, na takiego właśnie wyrośnie.

— Zabierz go na podwórze — poleciła.

— Znowu? Przecież przed chwilą byliśmy! — protestował.

— Za każdym razem, kiedy się obudzi, musisz robić to samo. I żadnych gazet na podłodze — dodała. — Bo za jakiś czas będziesz miał posikane każde słowo pisane, które przyniesiesz do domu. I będzie sikał wszędzie tam, gdzie na podłodze poczuje swój mocz.

Max wziął posłusznie Nerona pod pachę i razem wyszli przed dom.

*

Olka krzątała się po kuchni i wynosiła ramy do garderoby. Nie rozkręcała ich, bo wkrótce wróci do malowania. Dorota i Krzyś tak są sobą zajęci, że na razie dali jej spokój. Tym bardziej że już dostała zaproszenie na ślub i błagalny telefon przyjaciółki z prośbą o pomoc w przygotowaniu do wesela. Zgodziła się z ochotą, bo w końcu co innego ma do roboty. Podwórka i tak będą czekać do wiosny, jesienią zdążą zrobić jeszcze najwyżej jedno. A przez zimę rozrysuje sobie projekty pozostałych zleceń.

Pojedzie do Doroty niebawem, akurat będą do odbioru oprawione jedwabie.

A póki jeszcze można wypić kawę na tarasie, siadła na najwyższym stopniu krętych metalowych schodów, które prowadziły do jej ulubionego zakątka.

Wszystko było w nim teraz poukładane, uporządkowane jak należy i stało na baczność. No, z wyjątkiem wschodniego dziwoląga, który wyginał się na przekór całej reszcie i tulił różaneczniki cieniem swoich skrzydeł. Na ścianie tarasu pierwsze listki winobluszczu przebarwiały się na czerwono. Na razie te najmłodsze. Widocznie są mniej odporne na nocne chłody. Zwisały na cienkich gałązkach, którym nie udało się przytulić do ściany, jak strużki czerwonego wina wylewające się z zielonej butelki.

Kubek w różyczki, poduszka pod pupą, a myśli kłębią się w zakręconej głowie.

Jak ja zniosę tę zimę? — martwiła się. — Bez szkoły, bez Doroty, bez Maxa? No, chyba że zgodzę się jednak na rolę tresera psów. Bez Tytusa? Nie będzie lekko. Chyba mam doła…

Powzdychała nad kubkiem i poszła do kuchni pobawić się garnkami. Lubiła czekać na Tytusa z jakąś ulubioną przez niego potrawą. A dziś ma przyjechać.

— Co mi ugotujesz? — pytał przez telefon.

— A na co masz ochotę?

— Co tylko zrobisz, będzie dobre. Wszystko, czego nie będę musiał ugotować sam.

— A trochę konkretniej?

— Krem z selerów?

— I? — myślała o drugim daniu.

— To może być coś jeszcze?

Na to „i" nie miała pomysłu… Tytus też. Tłukła garnkami, zaglądała do lodówki… i nic.

Nowa wiadomość. Postanowiła pożalić się swojemu folderowi z kopiami roboczymi. Powinno być ich ze dwadzieścia, albo i lepiej.

— O matko kochana! — Olka aż odskoczyła od laptopa. — Gdzie one są?! Gdzie są moje kopie robocze?! — wołała zdenerwowana, jakby spodziewała się odpowiedzi. — Co się stało?!

Złapała za telefon i drżącymi palcami szukała numeru Tytusa. Nie odpowiada. Jeszcze raz. Abonent czasowo niedostępny.

— Ola, tylko spokojnie — mówiła do siebie, chodząc po kuchni.

W końcu gdzieś muszą być — myślała już spokojniej. — Skoro nie ma ich w folderze z roboczymi, to może się skasowały? Może po jakimś czasie się kasują? Już raz mi się coś popieprzyło w tej poczcie. Cholera, mały nie odbiera, gdy jest mi najbardziej potrzebny! Szlag! Gdzie ich szukać? Odebrane? Nie. Zapisane? Nie ma. Wysłane?

Nerwowo przeglądała różne foldery.

— Co to jest? — dziwiła się głośno.

Wszystkie kopie robocze zostały wysłane pod adres, którego nie znała. Nie przypominała sobie żadnego fałszywego ruchu, który mógłby spowodować taki skutek. A czasami zdarzało się jej coś pogrzebać.

Kto mógłby to zrobić? — zastanowiła się i szybko znalazła odpowiedź. Tytus, tylko on znał hasło. Coś ty mi tu, mały, nawywijał?

Rozległ się dzwonek do drzwi.

No, wreszcie — pomyślała. — Znów zostawił klucze w Poznaniu.

Zbiegła ze schodów w nadziei, że szybko usłyszy wyjaśnienia. W końcu tylko on mógł jej namieszać w poczcie. Z rozmachem otworzyła drzwi.

— Dzień dobry, aniołku — usłyszała, zanim jeszcze otworzyła usta. — Pewnie ciągle jeszcze nie kupiłaś kory. — W drzwiach stał Marcin i patrzył na nią szklistymi od łez oczami.

Stała jak zaklęta. Nie odezwała się ani słowem. Nie mogła, wielka klucha uwięzła jej w gardle. Nagle łzy zaczęły spływać jej po policzkach jak perły z rozerwanego sznura. Marcin objął ją czule i głaskał po włosach. Łkała wtulona w jego ramiona. I czuła, że wreszcie wraca na swoje miejsce.

— Nie płacz, zawsze będę na ciebie czekał, mój aniołku...

Przy bramie do garażu stały cztery worki kory, a w aucie Marcina siedział Tytus i przyglądał się scenie. Też płakał.

*

(Nowa wiadomość).

Dobre rady od starszej (niekoniecznie mądrzejszej) przyjaciółki:

Nigdy nie trać nadziei.

Nie przestawaj wierzyć w miłość.

Nie ukrywaj uczuć.

Ufaj swojemu dziecku. Ono może okazać się mądrzejsze od ciebie.

(Wiadomość wysłano).